La variation sociale en français

COLLECTION L'ESSENTIEL FRANÇAIS

La variation sociale en français

nouvelle édition revue et augmentée

Françoise GADET

2007

Collection ***L'ESSENTIEL FRANÇAIS***
dirigée par Catherine Fuchs

La conséquence en français, par Charlotte Hybertie
La concession en français, par Mary-Annick Morel
Les ambiguïtés du français, par Catherine Fuchs
Les expressions figées en français, noms composés et autres locutions, par Gaston Gross
Les adverbes du français, le cas des adverbes en -ment, par Claude Guimier
Approches de la langue parlée en français, par Claire Blanche-Benveniste
Les formes conjuguées du verbe français, oral et écrit, par Pierre Le Goffic
L'espace et son expression en français, par Andrée Borillo
Les constructions détachées en français, par Bernard Combettes
L'adjectif en français, par Michèle Noailly
Les stéréotypes en français, par Charlotte Schapira
L'intonation, le système du français, par Mario Rossi
Le français en diachronie, par Christiane Marchello-Nizia
La cause et son expression en français, par Adeline Nazarenko
Les noms en français, par Nelly Flaux et Danielle Van de Velde
Le subjonctif en français, par Olivier Soutet
La construction du lexique français, par Denis Apothéloz
La référence et les expressions référentielles, par Michel Charolles
Le conditionnel en français, par Pierre Haillet
Dictionnaire pratique de didactique du FLE, par Jean-Pierre Robert
Les dictionnaires français, outils d'une langue et d'une culture, par Jean Pruvost
La préposition en français, par Ludo Melis
Le gérondif en français, par Odile Halmøy
Le nom propre en français, par Sarah Leroy
Instruments et ressources électroniques pour le français, par Benoît Habert
Les temps de l'indicatif en français, par G.-J. Barceló et J. Brès

---

Imprimé en France
ISBN (10) 2-7080-1154-5
ISBN (13) 978-2-7080-1154-0

TABLE DES MATIÈRES

INTRODUCTION

Cette étude de la variation sociale en français poursuit trois objectifs : décrire le français contemporain à travers l'usage qu'en ont les locuteurs au quotidien, d'abord dans l'Hexagone mais pas seulement ; s'interroger sur une éventuelle spécificité du français (au-delà de l'évidence selon laquelle toute langue est spécifique) ; et inscrire cette réflexion dans des débats et enjeux récents de la linguistique générale et de la sociolinguistique. Les objectifs de description et de réflexion l'emporteront donc sur la présentation et la discussion de positions théoriques.

L'étude des pratiques langagières authentiques en contexte social (perspective écologique) concerne la sociolinguistique, prise en un sens large qui embrasse à la fois les causes, les incidentes et les conséquences sociales de la variabilité repérable au plan linguistique (phonologique, grammatical, lexical, discursif). C'est en prenant pour point de départ cette discipline que nous orienterons notre réflexion, nous éloignant ainsi des perspectives « autonomistes » dominantes en sciences du langage. En prenant pour point de vue non pas le système de langue, mais les locuteurs et la façon dont ils usent de leur langue, dans leurs pratiques, leurs discours et leurs interactions, nous serons concernés par leur répertoire, par les ressources dont ils font usage, par ce que l'on peut supposer de leurs fonctionnements cognitifs, ainsi que par les évaluations qu'ils produisent sur leur langue et sur la façon dont elle est parlée, par eux-mêmes et par d'autres. Nous souhaitons ainsi contourner les clivages traditionnels entre linguistique et sociolinguistique, et entre micro- et macro-sociolinguistique. Au-delà de ces clivages, la sociolinguistique offre une approche de nombre de questions de langue, en identifiant des objets linguistiques empiriques, qu'elle rapporte à des enjeux et des problèmes sociaux, et pour lesquels elle présente des cadres théoriques ou des modèles destinés à les prendre en compte.

Ce livre est centré sur la variabilité sociale du français, sans chercher particulièrement à s'inscrire dans un courant théorique : partant pour l'essentiel d'un cadre variationniste, qui regarde la langue comme une rencontre de variabilités sociales et langagières, il ne s'interdit pas d'autres ressources théoriques. Après avoir présenté le champ et la problématique de la variation et des variétés (chapitre 1) et une réflexion méthodologique considérant l'oral en relation avec l'écrit (chapitre 2), nous traiterons du matériau langagier en jeu dans la variation (chapitre 3), puis du diastratique (chapitres 4 sur la prise en compte du social dans le sociolinguistique, et chapitre 5 sur les vernaculaires), enfin du diaphasique et du style (chapitre 6).

La réflexion vise ainsi des questions générales sur les langues, qui ne sont banales qu'en apparence : qu'est-ce qui fait qu'un locuteur ne s'exprime pas toujours de la même manière, et que l'usage de la langue n'est, jamais et pour personne, monotone ? Comment les énoncés font-ils sens pour les locuteurs, compte tenu de l'interaction complexe entre les différents niveaux ? Questions qui renvoient aussi à ce qu'est « pratiquer une langue » ; et en fin de compte à ce qu'est une langue, pour ses usagers davantage que pour le linguiste.

Sur l'organisation de l'ouvrage

Un développement « Pour aller plus loin » clôt chaque chapitre, avec des orientations de lectures et une bibliographie. Les références sont ainsi réparties entre la bibliographie générale (pour celles qui sont actives dans plus d'un chapitre), et chaque chapitre pour les plus spécifiques. Différents types de documents sont présentés, éventuellement suivis de remarques : 1) Étude de cas (description du français) ; 2) Outil d'analyse (qu'il concerne ou non le français, le texte est présenté avant tout pour sa réflexion méthodologique ou théorique) ; 3) Observation (sans retour réflexif). La présentation de textes cherche uniquement à les inscrire dans un raisonnement. La source des exemples empruntés à d'autres travaux n'est que rarement précisée. Enfin, les six chapitres sont suivis d'un glossaire et d'exercices.

Les conventions de transcription sont réduites au minimum : la transcription est orthographique standard, exceptionnellement phonétique ; / pour une pause, < et > pour montée et descente de la voix, CApitales pour indiquer une syllabe accentuée, ʔ pour un coup de glotte. Les crochets carrés indiquent une transcription phonétique, et les accolades les circonstances des exemples quand nécessaire ; dans les rares cas où une précision sur l'énonciateur aide à comprendre l'exemple, elle est donnée en italiques avant l'exemple. Les termes techniques sont en général définis dans le texte, mais le glossaire final devrait permettre de pallier d'éventuels manques.

Je suis reconnaissante à quelques générations d'étudiants de m'avoir aidée à mieux formuler ma pensée, et je dédie cet ouvrage à mes deux premiers thésards, Sandrine Wachs et Bruno Martinie, désormais collègues. Merci aux relecteurs de la première édition, Lorenza Mondada, Bernard Conein, Bruno Martinie, Annette Boudreau et Dominique Fattier. Cette deuxième édition tient compte de remarques que m'ont adressées des lecteurs, surtout non-natifs du français et/ou enseignants de FLE : Enrica Galazzi, Monique Kroetsch, Henry Tyne, Zsuzsanna Fagyal, Lene Schøsler et Paul Cappeau.

Chapitre I

LA DIVERSITÉ LINGUISTIQUE ET LA VARIATION

Il n'est pas de langue que ses locuteurs ne manient sous des formes diversifiées, ce que permet d'établir l'observation empirique à tous les niveaux, quoique selon des amplitudes diverses. La réalité des pratiques des locuteurs, comme de leurs évaluations sur les façons de parler, attestent de différences, d'inégalités, de jugements de valeurs et de discriminations.

Reste alors à exprimer cette diversité au plan théorique. Les sociolinguistes la saisissent en parlant de variétés pour désigner différentes façons de parler, de variation pour les phénomènes diversifiés en synchronie, et de changement pour la dynamique en diachronie ; et ce, à la fois pour les productions d'un individu, d'un groupe ou d'une communauté.

1. La variation comme observable empirique

Nous commencerons par présenter une classification « classique » des phénomènes variables à travers des ordres extra-linguistiques, qui donnent lieu à une « architecture variationnelle ».

1.1. L'architecture variationnelle

Les façons de parler se diversifient selon le temps, l'espace, les caractéristiques sociales des locuteurs, et les activités qu'ils pratiquent.

1.1.1. Diversité dans le temps, ou changement (diachronie)

Toutes les langues, quelles que soient les caractéristiques historiques et sociales de la société où elles sont parlées, sont soumises au changement, plus ou moins rapide selon les époques. Mais pour attester du passé, les seuls témoignages possibles sont écrits, comme ces exemples littéraires :

(1) Carles li reis, nostre emperere magnes,
Set anz tuz pleins ad estet en Espaigne
(Début de *la chanson de Roland*, XIe siècle)

(2) Sous moy donc cette troupe s'auance
Et porte sur le front une masle asseurance
Nous partismes cinq cens, mais par un prompt renfort
Nous nous vismes trois mille en arriuant au port
(Corneille, *Le Cid*, édition originale, XVIIe siècle)

Sur ce qu'a pu être jadis la langue parlée, on ne dispose d'enregistrements que depuis environ un siècle, au début seulement formels. Pour les époques antérieures, on doit se contenter de remarques ou de citations, écrites, ou de documents dont la fiabilité est toujours à passer au crible de recoupements : manuels de conversation, témoignages citant des propos tenus, dialogues théâtraux, narrations, textes métalinguistiques, confrontation à des formes actuelles de français hors de France (ce qu'il faut supposer qu'était la source pour qu'elle ait abouti à un tel point)… Un exemple d'énoncé du premier type est la transcription de propos du roi Louis XIII enfant, rapportées dans le journal de son précepteur Héroard, comme l'exemple (3), qui atteste l'ancienneté de la possible omission du *ne* de négation. Ainsi, ce qui est souvent donné comme un changement récent est en fait une variation existant depuis au moins trois siècles :

(3) he maman me doné pas le fouet (3-08-1606, cité par Ernst 1985)

1.1.2. Diversité dans l'espace, géographique ou régionale (diatopie)

Quand une langue est parlée sur une certaine étendue géographique (ce qui est toujours le cas, même si le territoire est très petit), elle tend à se morceler en usages d'une région ou d'une zone (dialectes, patois). La tradition nous a légué l'idée de pureté des dialectes ruraux. C'est là pure illusion, car comme tout idiome, ils sont soumis à des pressions sociales aux effets contradictoires. La diversification peut se manifester sur quelques traits ténus, ou sur des phénomènes plus massifs.

La diversité diatopique est le premier type de variation pris en compte dans l'histoire des sciences du langage, et c'est là que la variation a été la plus ample. Mais il est maintenant souvent difficile de localiser un locuteur à simple écoute, des facteurs sociaux comme la mobilité, l'éducation et les médias ayant eu des effets à la fois homogénéisants (entre variétés proches) et hybridisants (entre idiomes). Les particularismes locaux se maintiennent surtout quand les contacts sont limités : dans les campagnes, chez les plus âgés et les moins éduqués.

Pour le français, on distingue entre le « berceau » européen ((4) et (5), exemples de français régional de France, (6) et (7), de français d'Europe), et la transmission hors d'Europe par les aléas historiques de l'émigration ((8) et (9), exemples de langue maternelle hors d'Europe) :

(4) *L1* – tu te rappelles ce qu'il disait / c'était intéressant quand même
L2 – oui / **mais j'y ai pas utilisé** / parce que je pars d'un autre point de vue (région de Lyon)
(5) on donne d'abord l'autre au tirage et après **on vous prend à vous** (Toulouse)
(6) il est **assez grand que** pour manger tout seul (Belgique)
(7) j'ai personne vu (Suisse romande et zone franco-provençale)
(8) maintenant / je pense que **recommencer / je ferais** une garde-malade (Ontario, Canada)
(9) mais faulait quand même tu travailles pis tu payes parce tes parents pouvaient pas le faire (Acadie, Canada)

Le français a aussi été diffusé dans le monde par la colonisation : différents français langue seconde se trouvent en contact avec des langues diverses. Les exemples de (10) illustrent un continuum reconstruit (exemple emprunté à Lafage (1990)) d'énoncés de locuteurs d'Afrique « francophone » dont les contacts avec le français seraient divers, depuis (10a), fortement influencé par une langue africaine, en passant par plusieurs strates de « français populaire africain », jusqu'à une forme très recherchée, sans influence exogène. (11) est au contraire un exemple attesté :

(10a) a ka mobili nyoni
(10b) a ka mobili pousser
(10c) na ka pousser camion là
(10d) faut pousser camion là
(10e) il faut pousser le camion
(10f) il serait nécessaire de déplacer le camion
(11) du riz là y a pour moi (exemple de « français populaire ivoirien »)

1.1.3. Diversité sociale (diastratie)

À une même époque et dans une même région, des locuteurs différant par des caractéristiques démographiques et sociales ont différentes façons de parler. Tout facteur de discrimination dans une société peut constituer le siège de diversité diastratique, les différentes composantes d'une identité pouvant se renforcer ou s'opposer.

Certaines formes sont stigmatisées, comme le *e* muet « inversé » de (12), où le [œ] précède la consonne au lieu de la suivre comme dans la graphie, ou comme l'interrogative de (13) ; d'autres au contraire sont socialement valorisées, comme la liaison recherchée de (14), le subjonctif imparfait de (15), ou l'interrogation par inversion complexe de (16), sentie comme soutenue à l'oral bien que proche du courant à l'écrit, comme en (17) :

(12) Les mecs eud'la rue (*sic*, titre de roman, début du XXe siècle)
(13) je sais pas qu'est-ce qu'il veut
(14) enterrer r en secret à l'aube (discours de Malraux)
(15) il m'eut déplu que vous m'imputassiez cette erreur
(16) notre collaborateur a-t-il déjà effectué une démarche en ce sens ?
(17) votre ceinture de sécurité est-elle bouclée ? (affichage autoroutes)

Dans les jugements portés sur ces formes, il n'y a pas symétrie entre le haut et le bas de l'échelle sociale, ce qui est limpide dans les dénominations : à côté du terme « français populaire », qui caractérise les exemples (11) et (12), il n'y a pas de nom reçu pour les exemples de (13) à (16), peut-être avec l'implicite que c'est là le « bon français », ou même pour certains, le français tout court. De plus, le jugement social n'est pas indépendant de la localisation, par exemple dans l'opposition rural/urbain, ce qui montre la difficulté d'isoler le diastratique du diatopique.

1.1.4. Diversité stylistique ou situationnelle (diaphasie)

Un locuteur, quelle que soit sa position sociale, dispose d'un répertoire diversifié selon la situation où il se trouve, les protagonistes, la sphère d'activité et les objectifs de l'échange (le contexte et le genre). Ainsi, un professeur qui, en enseignant, réalise à peu près toutes les négations en *ne... pas*, peut omettre *ne* en contexte familial (voir chapitre 6) ; ainsi de deux questions d'un même locuteur au cours de la même journée, face à des interlocuteurs différents :

(18) à qui en as-tu parlé <
(19) tu l'as dit à qui <

La différenciation selon l'usage, et le possible effet des fonctions d'une langue sur sa forme sont bien identifiés, par exemple dans les dictionnaires et les grammaires, où la tradition scolaire a diffusé la notion de « niveau de langue ». Mais les niveaux sont reconnus avant tout dans le lexique (*soufflet, gifle, claque* ou *baffe*, et les argotiques *mandale, mornifle* ou *beigne*), alors que le phonique, et dans une moindre mesure le morpho-syntaxique, en sont aussi partie prenante. L'opposition la plus fréquemment notée est entre formel et informel, que nous préciserons et reformulerons selon l'axe de la proximité et de la distance communicatives.

La diversité de canal, oral ou écrit, peut aussi être rapportée au diaphasique : les usagers ne parlent pas comme ils écrivent, et inversement. Toutefois, il n'y a là que des tendances, car le français ne connaît pas de forme dévolue à l'oral ou à l'écrit (voir chapitre 2). Certaines formes morphologiques (passé simple, passé antérieur, subjonctif imparfait) ou syntaxiques (interrogation en inversion complexe, comme (16), inversions stylistiques comme (20)) sont plus fréquentes à l'écrit. D'autres au contraire apparaissent surtout à l'oral, comme le détachement de (21), la structure binaire de (22), ou l'interrogation par intonation de (23). Mais la morphologie est le seul niveau où le fonctionnement des deux ordres peut diverger fortement (marquage du nombre ou de la personne verbale, accords) :

(20) sans doute s'imposera-t-il désormais qu'il s'efforce de mieux se faire comprendre
(21) en vacances/les livres/j'en lis trois par semaine
(22) la cantine/y a pas à se plaindre
(23) alors > le cinéma > on y va <

La question se pose de comment les bilingues négocient cette adaptation aux situations. Nous y reviendrons au chapitre 6.

1.2. L'une des origines de la sociolinguistique : la dialectologie

L'une des sources historiques de l'étude de la variation est la dialectologie, que nous sollicitons ici pour l'attestation de la variation dans le passé, et pour l'histoire des méthodes pour saisir la variabilité. Trois études seront prises comme emblématiques de trois étapes méthodologiques et théoriques.

1.2.1. Un précurseur : l'Abbé Grégoire en 1792

Sous la Révolution, la question de la politique de la langue a imposé de chercher à connaître le nombre des francophones réels en France. L'Abbé Grégoire introduit le principe d'une enquête qui sera la première du genre, et débouchera en 1794 sur le *Rapport sur la nécessité d'anéantir les patois et d'universaliser l'usage de la langue française*, qui a été commenté par Certeau *et al.* 1975. Ce rapport permet d'évaluer que, sur la population de la France de l'époque, d'environ 26 millions d'individus, 11 millions ont le français pour langue maternelle, 3 millions le parlent couramment, 6 un peu, et 6 millions l'ignorent.

La méthode d'enquête fait appel à des « intermédiaires culturels » : Grégoire ne s'adresse pas aux usagers, mais aux curés des paroisses auxquels il fait parvenir un questionnaire sur les pratiques de leurs ouailles.

> **Remarque :** Le recours aux intermédiaires culturels sera aussi pratiqué par les dialectologues de l'âge d'or de la discipline qu'est le XIXe siècle (d'abord en Allemagne), avec le truchement des maîtres d'école.

1.2.2. La dialectologie classique

Aux alentours de 1900, le dialectologue Jules Gilliéron délègue son assistant Edmond Edmont pour sillonner la France : celui-ci effectue des relevés en 639 points du territoire de la France rurale (ainsi que des zones francophones en Belgique, Suisse et Italie), à partir de 1900 questions sur la phonétique, la morphologie, la syntaxe, et surtout le lexique. Edmont cherchait dans chaque localité un informateur dit représentatif, en général un homme, de préférence agriculteur, entre 15 et 85 ans. Il envoyait ses notations à Gilliéron, qui les portait sur une carte. Leur travail commun aboutit aux premiers *Atlas linguistiques de la France* (7 volumes avec 1920 cartes), qui inspireront d'autres atlas, en Europe et en Amérique.

> **Remarque :** Par rapport à l'enquête de Grégoire, une étape a été franchie parce que l'enquête s'adresse directement aux locuteurs, et parce qu'un quadrillage spatial systématique est recherché.

1.2.3. Un précurseur, Louis Gauchat

À Charmey, commune suisse de 900 habitants du canton de Fribourg, Gauchat (1905) observe à propos de 5 variables phonologiques une diversité de réalisation chez 5 hommes et 4 femmes différant par le statut social et par l'âge. Il parvient à mettre en corrélation les caractéristiques sociales des locuteurs et leur usage linguistique, ce qui le conduit à établir qu'il n'y a pas d'homogénéité, et que la variation est omni-présente, co-extensive à l'usage de la langue : « L'unité du patois de Charmey, après un examen plus attentif, est nulle ». Il fait ainsi voler en éclats le mythe de la pureté initiale des dialectes ruraux.

Les changements qu'il a annoncés grâce à l'étude fine de locuteurs diversifiés ont presque tous été confirmés par une étude effectuée 20 ans plus tard au même endroit par un autre linguiste.

> **Remarque :** Pour Gilliéron et ses émules, l'informateur idéal était ce que les Anglo-saxons appellent NORM (Non-educated, Old, Rural, Male), porteur d'un état ancien de langue. Gauchat s'intéresse au contraire à toutes les composantes d'une communauté : il n'y a pas d'informateur représentatif, mais une dynamique sociale et démographique dont tous les usagers participent, qui établit qu'il n'y a aucune variété de langue qui soit homogène. Le sociolinguiste américain William Labov le saluera d'ailleurs comme précurseur de la « dialectologie urbaine » qu'est la sociolinguistique.

1.3. Les grands corpus

Après de longues années où n'ont guère été effectuées que des monographies concernant surtout le phonique, l'époque actuelle offre de nouvelles potentialités pour étudier la variation. Les progrès techniques, du matériel d'enregistrement comme du traitement documentaire de données, ont introduit de nouvelles perspectives d'étude de la langue parlée et de sa variabilité. La demande sociale portait de plus de nouveaux besoins de connaissances sur la langue telle qu'elle se parle vraiment. La conjonction de ces deux facteurs a favorisé les enquêtes et la constitution de corpus de langue parlée.

1.3.1. De « grands corpus » de français parlé

La demande sociale de parole en contexte naturel concerne surtout le rôle du langage et de l'accès à l'écrit dans l'appropriation des normes et l'échec scolaire (voir chapitre 4), et la gestion des situations conflictuelles (comment des échanges langagiers ordinaires peuvent-ils déboucher sur des malentendus ou sur la violence, verbale ou non – voir chapitre 5). C'est aussi vers une demande d'échantillons authentiques qu'ira, à partir des années 1960, l'expansion de l'enseignement de « Français Langue Étrangère » (FLE) : détacher les apprenants des seules connaissances littéraires et livresques, jusqu'à valoriser une oralité quasi-native, informée de la variation.

Cependant, les grandes enquêtes en France sont demeurées peu nombreuses, surtout en comparaison avec ce qui s'est fait ailleurs (par exemple pour l'anglais, l'allemand ou l'italien). Après le premier corpus à objectif général, celui du *Français Fondamental* dans les années 1950, ont successivement vus le jour le corpus d'Orléans, commandité par des professeurs de FLE, ou celui d'Aix-en-Provence, tourné vers la variété des genres et une préoccupation de morphologie et de syntaxe. Les actuels deux millions de mots de ce dernier en font le plus gros corpus de français hexagonal oral, même si le chiffre est faible à côté de ce qui est disponible pour l'anglais. La situation est aujourd'hui en train de changer rapidement, ce dont nous citerons seulement les deux exemples du « corpus de référence » à Aix-en-Provence, et du corpus PFC (Phonologie du français contemporain).

Il en est allé différemment à Montréal, où un corpus à objectifs sociolinguistiques (avec échantillonnage des locuteurs) a été incité dès les années 1960 par les pouvoirs publics, lors du grand mouvement de promotion du français au Québec.

Les grands corpus de français de mise à disposition générale susceptibles d'exploitations diversifiées devraient ouvrir des perspectives d'analyse de la langue, en particulier quant à la fréquence, quant aux distributions et aux restrictions, et offrir un nouvel éclairage des rapports entre lexique et grammaire, ou sur les spécificités linguistiques des genres discursifs.

> **Remarque :** Il est inutile d'insister sur les raisons pour lesquelles les corpus écrits sont beaucoup plus nombreux et beaucoup plus longs que les corpus oraux. Ainsi, le plus grand corpus de français est incontestablement le corpus écrit Frantext.

1.3.2. Fiabilité et traçabilité des corpus

Mais quelle que soit l'indiscutable utilité des grands corpus, leur inflation actuelle ne devrait pas faire négliger les aspirations de rigueur, les facilités d'enregistrement et d'exploitation technologique risquant d'induire une illusion de neutralité, et d'occulter le fait que construire un corpus n'est pas une succession de gestes anodins. « Que le linguiste sache ce qu'il fait », jusque dans les implications de chacune des étapes de chacun des gestes et des choix qu'il pratique. Depuis le moment de la conception jusqu'aux analyses, en passant par des étapes comme la transcription, il doit constamment assurer la traçabilité et savoir mesurer les implications de chaque décision, dans ces nouvelles enquêtes qui doivent mener à de nouveaux grands corpus. Un exemple, parmi d'autres : pourquoi interroger le même nombre d'hommes et de femmes ? Est-ce par simple conformité à la diversification socio-démographique de la population ? Ou bien y a-t-il derrière la construction d'une hypothèse sociolinguistique ? En ce cas, laquelle ?

2. Vers une représentation dynamique de la langue

À partir du constat empirique de l'omni-présence de la diversité et de l'hétérogénéité, la sociolinguistique y a cherché des régularités, et elle a d'abord tendu à les représenter en des variétés.

2.1. Perception de la variation par les locuteurs

La reconnaissance de la variation par les locuteurs est déterminante pour les variétés.

2.1.1. Observation. Variation et signification

Les séquences (24) et (25) ont été soumises par écrit à 74 étudiants de licence. On leur demandait si le sens était le même, et sinon en quoi il différait :

(24) il continue à fumer
(25) il continue de fumer

Les réponses se répartissent en 8 types, donnés ici par ordre décroissant de partisans : 1) le sens est le même ; 2) il y a une différence : action ponctuelle en (23), habitude en (24), ou répartition inverse ; 3) le sens n'est pas le même, sans précision ; 4) distinction dans le trait [+ ou – humain] du sujet ; 5) distinction entre action générale ou spécifique (*fumer* vs *fumer la pipe*) ; 6) (24) est donné comme un jugement négatif (*hélas, il continue à fumer*) ; 7) distinction de niveau de langue, ou oral/écrit ; 8) agrammaticalité de l'une des deux (pas toujours la même).

Il apparaît que les locuteurs peuvent se satisfaire d'une intercompréhension assez approximative ; mais aussi que quand ils sont confrontés à la variation, ils cherchent à y mettre du sens (voir aussi le chapitre 6, en 3.2.), ce qui donne une indication sur la perception de la variation par les locuteurs.

2.1.2. L'évaluation des variétés

Les humains portent des jugements sur eux-mêmes et sur leurs semblables, leur apparence physique, les comportements, les vêtements, et bien entendu les façons de parler. Ces jugements s'organisent dans des représentations et des attitudes idéologiques, qui comportent des hiérarchies et des discriminations.

Le prestige ou la stigmatisation dont un idiome fait l'objet ne découlent pas de caractères linguistiques intrinsèques, mais des fonctions sociales qu'il remplit ou des activités dans lesquelles il intervient, et des caractéristiques attribuées aux locuteurs qui en font usage. L'évaluation serait alors intrinsèque à l'usage de la langue, préexistante à la standardisation ; d'ailleurs, les langues peu ou pas du tout standardisées donnent aussi lieu à des jugements de la part des locuteurs sur les façons de parler.

L'identification de variétés, leur évaluation et leur hiérarchisation sont signalées en français au moins depuis le XIIe siècle, par des anecdotes qui portent sur des caractérisations locales, mais où les jugements sociaux ne sont jamais loin :

(26) Je ne sui pas norriz à Pontoise (Conon de Béthune, qui se plaint des moqueries de la Cour sur sa prononciation, début du XIIIe siècle)

(27) Si m'escuse de mon langage rude, malostru et sauvage, car nés ne sui pas de Paris (Jean de Meung, XIIIe siècle)

2.2. Les variétés : de la perception indigène aux catégorisations d'experts

Les usagers prennent en compte la variation en se la représentant à travers des variétés, qu'ils ne nomment que rarement, sauf pour le diatopique, le plus régulièrement perçu. Ainsi, les dénominations de français « familier », « populaire », « des jeunes »… sont des termes experts, ou de la reprise publique. C'est pourtant bien ces classifications ordinaires qu'épouse la notion de variété, qui n'est pas une évidence mais une construction. Elle suppose que les traits variables puissent converger en un tout cohérent, sur la base duquel il serait possible de constituer des objets cernables et énumérables. Mais le découpage ainsi supposé ne résiste pas à l'observation des productions effectives, qui peuvent être souples, labiles, et plus souvent hétérogènes qu'homogènes.

Les sociolinguistes acceptent en général cette notion de variété, et recourent à différentes façons de les classer. L'une d'entre elles oppose la variation inter-locuteurs (selon l'usager, soit différents individus selon des angles différents, de diachronie, de localisation, et de position sociale), et la variation intra-locuteurs (selon le répertoire d'un même locuteur dans différentes activités). Cette distinction, qui a le mérite de prendre le locuteur comme principe de classement, est reflétée dans les termes de diatopie, diastratie et diaphasie, dont l'origine est dans la romanistique allemande (Coseriu). Bien que peu transparentes, ceux-ci offrent par rapport aux termes régional, social, et stylistique, plus répandus, l'avantage de distinguer entre les effets sociaux dans la langue et le socio-démographique, entre une manifestation linguistique et l'extra-linguistique (ainsi, le diatopique est l'effet sur la langue de la diversité régionale, non cette diversité même, qui ne concerne pas le linguiste). Elles évitent ainsi le flou de termes comme « social », à la signification trop vaste pour distinguer entre usage expert et ordinaire, et participent de l'effort pour construire des catégories sociolinguistiques qui soient clairement distinctes du donné socio-démographique. Le tableau 1 résume les relations entre les termes :

Tableau 1
Représentation de la variation

<table>
<tr><td rowspan="3">Variation selon l'usager</td><td>temps</td><td>changement</td><td>diachronie</td></tr>
<tr><td>espace</td><td>géographique, régional, local, spatial</td><td>diatopie</td></tr>
<tr><td>société, communauté</td><td>social</td><td>diastratie</td></tr>
<tr><td rowspan="2">Variation selon l'usage</td><td>styles, niveaux, registres</td><td>situationnel, stylistique, fonctionnel</td><td>diaphasie</td></tr>
<tr><td>canal</td><td>oral/écrit</td><td>diamésie</td></tr>
</table>

Un autre classement distingue selon la fonction sociale des variétés, entre « vernaculaire » (d'usage entre proches) et « véhiculaire » (usage de contact, entre locuteurs de vernaculaires différents). En France aujourd'hui, le français est le vernaculaire de la plus grande partie de la population, et le véhiculaire privilégié même pour ceux qui ne l'ont pas pour langue maternelle. Mais il est loin d'en aller de même dans tous les pays francophones (ainsi, en Afrique, le français peut être véhiculaire, mais n'est que rarement vernaculaire).

2.3. Dynamique écologique des variétés

Le matériau variationnel qu'offre une langue étant limité, puisque tout ne saurait varier, ce sont les mêmes éléments phoniques et grammaticaux qui sont en jeu dans les variations de différents types ; il en va un peu différemment du lexique. Ceci rend souvent difficile d'interpréter la portée sociale d'un trait, et confirme que ce n'est pas d'abord sur des critères linguistiques que sont établies les variétés.

Le découpage en types de variation laisserait attendre une discontinuité, alors que diatopique, diastratique et diaphasique interagissent en permanence : les locuteurs emploient d'autant plus de formes régionales que leur statut socioculturel est plus bas, et que la situation est plus familière. Le spectre diastratique est donc plus large vers le bas de l'échelle sociale. Ainsi, la réflexion doit naviguer entre le désir de nommer des variétés, surtout locales, et le constat que la diversification n'épouse pas les frontières administratives ou politiques. Par exemple, on a pu dire régionales des formes comme (28) ou (29), avant de les observer dans d'autres points de l'espace francophone : les « prépositions orphelines » (*sans* et *dessus*) ont longtemps été dites typiques de la Belgique (et on parlait d'interférence avec les dialectes germaniques, tendant ainsi à tout expliquer par les contacts de langues) ; l'omission de *que* a longtemps été dite typique de Montréal parce qu'elle était peu notée dans les usages de France. Mais c'est en région parisienne qu'ont été relevés (30) ou (31), dont il reste à établir la fréquence et les circonstances d'emploi :

(28) elle a un nounours qu'elle peut pas dormir sans
(29) il passe son temps à me copier dessus
(30) c'est maintenant tu l'entends < ça fait longtemps elle est sortie >
(31) faut pas croire les élèves ils viennent avec des calibres en cours [sans pause]

La distinction entre diastratique et diaphasique suppose que les locuteurs sont caractérisés différemment selon ce qu'ils sont (diastratique) et ce qu'ils font (diaphasique). Mais l'opposition n'existe que dans la définition des termes : un même trait linguistique peut, en des progressions parallèles, correspondre à une position sociale favorisée, ou à un usage formel de distance. « Français populaire » et « français familier » partagent bon nombre de leurs traits, et il est exclu d'établir une liste des formes spécifiques à chacun. La liaison de (32) peut ainsi être le fait d'un locuteur très éduqué, d'un locuteur ordinaire en situation très formelle, mais elle peut aussi être l'oralisation d'un écrit, comme dans cet exemple extrait d'un discours d'André Malraux :

(32) puissent les commémorations des deux guerres s'achever r aujourd'hui

La dynamique du fonctionnement courant, de l'acquisition et de la disparition permet de comparer les langues selon la place qu'elles accordent à chaque ordre de variation. La variation se manifeste très vite dans l'acquisition, les enfants devenant sensibles aux différences des façons de parler de leur entourage du fait que ce qu'ils entendent comporte de la variation. À l'inverse, l'obsolescence raréfie la diversification variationnelle, mais ne la supprime que tardivement. Différentes sociétés n'accordent pas la même saillance à chaque ordre. Ainsi, pour le français, nous ferons l'hypothèse qu'il serait passé d'une domination diatopique, au XIXe siècle, à un primat du diastratique (langues de classes), jusqu'à un primat actuel du diaphasique, aujourd'hui le plus saillant. L'atténuation du rôle du diatopique se mesure à travers la diminution de la diversité et de l'amplitude des accents régionaux, et le potentiel atténué de stigmatisation des évaluations locales par rapport aux jugements diastratiques.

La rapidité et la fluidité du passage d'une dominance à une autre est aussi signe qu'il n'y a pas de frontières rigides, et que les distinctions constituent une première approche, qui ne tient pas assez compte de l'intrication.

2.4. Faut-il conserver les notions de variation et de variété ?

La notion de variété ne permet pas de s'affranchir de l'idée de langue homogène, car, en représentant la langue selon un certain nombre de variétés, elle les conçoit à leur tour comme homogènes. Elle risque donc d'occulter la dynamique fondamentale de la variation, et les tensions où est pris le locuteur, entre facteurs de stabilité et d'unité (prestige social et recherche du statut, « distance » : l'école, les institutions, l'écrit, le langage public), et facteurs de diversification (identités de groupes ou de communautés, solidarité, « proximité » : l'oral, l'intimité et le groupe de pairs, le cercle privé).

Différentes questions sont soulevées par une telle représentation variationnelle. Elles concernent d'abord la notion de variation : 1) Est-ce que, pour le locuteur et pas seulement pour le linguiste pensant en termes de système (approche émique), elle revêt un sens, au-delà d'un vague sentiment de « il ne parle pas comme moi » ? 2) Quel est son rapport avec la variabilité d'un répertoire individuel ? Les questions à soulever concernent aussi la notion de variété : 3) Est-ce la même chose qui se dit dans différentes variétés ? Il faudrait pour cela que la place sociale des locuteurs ou la différence des situations n'ait pas d'incidence sur ce qu'il est possible de dire et ce qui est dit, en un postulat inverse de celui de l'analyse de discours. D'autres questions enfin concernent la relation entre variation et variété : 4) Le nombre de traits en variation joue-t-il pour poser qu'il y a variété ? 5) Ou bien est-ce la présence de certains traits (valorisants ou stigmatisants) qui va s'avérer décisive ? 6) Ou encore, la possibilité d'association extra-linguistique (ainsi, on parlerait de « français des jeunes » parce qu'on a identifié une « question sociale des jeunes ») ? 7) S'il y a décalage entre la perception de l'usager et l'analyse de l'expert, jusqu'où faut-il les opposer (perspective émique *vs* étique) ?

Nous aborderons certaines de ces questions dans l'ouvrage, alors que d'autres demeureront un horizon réflexif. Mais les unes et les autres ne peuvent être abordées sans s'intéresser au standard, tellement décisif pour traiter du français.

Remarque : Le terme unique de « variation » recouvre à la fois l'approche « variationniste », tenant de la théorie sociolinguistique instaurée par les travaux de William Labov, et l'approche « variationnelle », réflexion de linguistique générale initiée par Eugenio Coseriu, cherchant à théoriser les différences dans les façons de parler. Nous serons dans cet ouvrage plutôt proches du deuxième sens, qui n'est pas limité à la sociolinguistique.

3. Le français, langue standardisée et normée

La prééminence des linguistiques de l'homogène découle à la fois de l'histoire de la discipline qui se donne l'homogène pour objet, mais aussi de questions d'ordre politique, d'histoire de la langue et des interventions de l'État dans le processus de standardisation.

3.1. La standardisation

La question de la langue est omniprésente en France, pays historiquement unifié sur la base de l'expansion linguistique. La réflexion sur le standard est souvent occultée par la norme, valorisée aux dépens des formes attestées non centrales, orales, ordinaires et populaires.

3.1.1. Outil d'analyse. La standardisation

Le texte de Haugen 1972 est à la base des réflexions actuelles sur la standardisation, dans laquelle l'auteur voit les effets de quatre opérations, deux sociales et deux linguistiques. Les opérations sociales concernent la modification de statut d'une variété : « sélection » du dialecte d'un groupe dominant, et « acceptation », ou extension au-delà du groupe initial. Les opérations linguistiques sont « l'élaboration » des fonctions, quand s'étendent les activités susceptibles d'être conduites dans la langue, et la « codification » qui, à travers la mise au point de dictionnaires et de grammaires, procure à la langue une certaine stabilité : on parle de modification du corpus. Ce schéma s'applique globalement à l'histoire du français, de la sélection du dialecte d'Ile-de-France à nos jours (voir le parti que Lodge 1998 a tiré de ce modèle).

> **Remarque :** Le terme « acceptation » a l'inconvénient de laisser entendre l'adhésion de populations qui se voient imposer une nouvelle langue. Or ce processus n'intervient jamais sans conflits, dont l'histoire du français, en France et hors de France, est loin d'être exempte.

3.1.2. Les effets idéologiques du standard

La standardisation soumet les locuteurs à une « idéologie du standard », qui valorise l'uniformité comme état idéal pour une langue, dont l'écrit serait la forme parachevée. Accompagnant toujours la standardisation, cette idéologie est spécialement vigoureuse en France (et souvent exportée dans la francophonie), dont le jacobinisme apparaît propice à la propagation de tels discours. Le standard est donné comme préférable de façon intrinsèque, forme par excellence de la langue, voire la seule. Il est supposé pratiqué par les locuteurs ayant un statut social élevé, les autres variétés en étant dès lors regardées comme des déformations.

Or, le standard n'est pas une variété parmi d'autres : ni usage effectif ni vernaculaire de qui que ce soit, c'est une construction linguistique et discursive, homogénéisante. Dès lors qu'il y a standard, les autres variétés sont dévaluées, parce qu'il occupe une position publique dans les activités élaborées jouissant de prestige social, culturel et politique. La standardisation mettant en avant l'écrit, la distance entre oral et écrit se charge de jugements de valeurs. Le statut du standard a ainsi toujours à être réassuré, car sur lui s'exercent des forces antagonistes : le prestige reconnu et le désir d'insertion ou d'ascension sociale ; et l'expression d'une identité de proximité, de solidarité, qui se manifeste à travers des usages non standard. C'est parce que ces deux tendances rivalisent constamment, faisant de la standardisation un processus sans fin, que perdurent les vernaculaires que tout le monde, y compris ceux qui les emploient, sait ne pas être normés.

3.2. La norme

Le terme « norme », lui-même assez récent même si la tradition normative est plus ancienne, s'avère fortement polysémique.

3.2.1. Définitions de la norme

Il faut distinguer entre norme objective, observable, et norme subjective, système de valeurs historiquement situé. Dans le premier sens, lié à l'adjectif « normal », il renvoie à l'idée de fréquence ou de tendance, et il peut être utilisé au pluriel, au contraire du second sens, reflété par les termes « normatif » ou « normé », conforme à l'usage valorisé (la Norme, qui a pu être dite fictive). La dichotomie entre norme objective et subjective permet d'opposer un savoir grammatical productif à une surnorme, dont (29) constitue un exemple, normé, mais davantage exemple de grammaire que possible production spontanée :

(33) Pierre risque de devoir en réviser la solution (*en* = du problème)

La norme subjective impose aux locuteurs une contrainte collective à laquelle ils adhèrent fortement, qui donne lieu à des jugements de valeurs constitutifs de leur attitude courante, quelle que soit leur propre façon de parler. Elle s'appuie sur la norme objective, et tout en mettant en avant des motivations linguistiques ou culturelles, sa raison d'être est sociale. Elle prend force de ce que, outre l'imposition par des institutions, elle est intériorisée par les locuteurs, même ceux qui ne la respectent pas. C'est d'ailleurs une possible définition de la communauté linguistique : non une introuvable similitude dans les productions et les pratiques, mais le partage d'évaluations, positives et négatives. En ce sens, la norme, parfois dite « de référence », a pour effet de renforcer la cohésion sociale.

3.2.2. Étude de cas. Les Français, la norme, l'insécurité

Gueunier *et al.* 1978 (synthèse dans Gueunier et al 1983) ont étudié la perception de la norme orale par les locuteurs et la conscience qu'ils en ont, en partant de l'observation que les locuteurs ne « s'entendent » pas, comme le montre l'énoncé (34) :

> (34) « Tu vois bien que je dis [ɛ] et non [e] disait par exemple à un élève cette institutrice tourangelle qui par ailleurs, prononçait *de façon rigoureusement identique* les deux mots, dès qu'elle oubliait de se surveiller » (1978, p. 11, italiques originelles)

Les auteurs mettent en place une méthodologie destinée à montrer l'éventuel décalage entre ce que les usagers disent vraiment, ce qu'ils croient dire, et ce qu'ils savent être la norme, afin d'analyser les attitudes de locuteurs de Tours d'une part (zone historiquement valorisée pour ses façons de parler), d'autre part de trois milieux urbains qui tendent à s'auto-déprécier : Lille et Limoges (zones populaires avec rémanences de diglossie), et Saint-Denis de la Réunion (zone périphérique, en diglossie avec le créole).

Les auteurs confrontent ainsi norme objective et norme fictive à travers des tests de performance, d'auto-évaluation et de connaissance de la norme. Quand il y a recouvrement entre performance et auto-évaluation, le locuteur est dit en sécurité linguistique, en insécurité s'il y a discordance. Ce sont les Tourangeaux qui manifestent le plus fort sentiment de sécurité. Les locuteurs en insécurité dévalorisent leur propre façon de parler, ou vont jusqu'à préférer se taire :

> (35) [...] « nous les gars du Nord, quand on veut parler à un chef ou n'importe lequel, eh bien comme on dit en termes vulgaires, on fout des coups de pieds à la France, c'est-à-dire avec notre accent on écorche les mots » (p. 150, locuteur de Lille).

Toutefois, la qualité de la relation instaurée entre chercheurs et enquêtés a ensuite conduit à nuancer cette analyse, car des attitudes plus positives envers l'accent et les pratiques régionales se faisaient jour quand l'enquêté cessait de tenter de renvoyer à l'enquêteur l'adhésion à la norme qu'il croyait attendue de lui.

> **Remarque :** L'insécurité peut aussi induire l'hypercorrection, phénomène qui ne relève pas d'une énumération de traits linguistiques, mais d'une attitude sociale de recherche du prestige, avec des effets sur la langue pratiquée.

3.3. Norme et purisme

La complainte sur la qualité de la langue est une constante du XXe siècle, jusque dans la forme extrême qu'est le purisme.

3.3.1. Étude de cas. Le purisme, une position fragile

Beaujot (1982) passe en revue les thèmes du purisme. Il s'arrête en particulier au « franglais » et à la menace supposée d'invasion lexicale, qu'il confronte à la réalité de l'usage : les termes anglais sont peu nombreux, souvent de faible fréquence parce que relevant de discours spécialisés, et pour beaucoup ne défigurent pas le français car ils viennent du latin. Derrière le discours puriste, il y a le désir de distinction et la défiance envers la masse des usagers, vue comme trop grossière pour apprécier la qualité de l'outil qu'elle a en héritage : il faut donc défendre le français contre les Français. Les thèmes vont de la morale à la religion et à la police. Affronter des difficultés est vu comme formateur d'un point de vue moral autant que civique, ce qui passe par l'idée de faute de langue, solidement ancrée dans l'imaginaire des Français. Les autorités, pour le purisme, résident dans le passé : l'Académie et le Littré. Si le discours puriste tient, c'est donc par les inquiétudes qu'il éveille en tout locuteur, qui peuvent le conduire à l'insécurité et à l'hypercorrection.

3.3.2. Purisme et idéologie du standard

L'idéologie linguistique courante en France n'est pas très éloignée du purisme, avec les thèmes de « génie de la langue », « pureté », « logique », « esthétique »… ; et l'appel à l'usage qui occulte les usagers. Elle construit la langue sur le modèle dichotomique du bien et du mal : *pallier à* vs *pallier, par contre* vs *en revanche*, *causer à* vs *causer avec, après que* + subjonctif *vs* indicatif, *je m'en rappelle* vs *je me le rappelle*…, chausse-trapes récurrents dont le premier terme est stigmatisé (sur le modèle « ne dites pas X, dites plutôt Y »). C'est de ce bain normatif que procède le goût des Français pour les chroniques de langue, les dictionnaires et les championnats d'orthographe.

Le discours puriste s'est exacerbé en des moments politiques de débats de société et de repli national : années 1900 (confrontation de deux modèles de société) ; années 1930 (crise économique, menaces de guerre) ; années 1960 (régression du statut international du français, perte de l'empire colonial, constat de persistance de l'échec scolaire).

Depuis le XVIIIe siècle, la conception des États-nations se cristallise autour de l'idée d'une langue par état, avec le risque de passer de l'hégémonie ou la domination d'une langue à son unicité et son homogénéité, excluant autant la diversité que la variation. Les Français adhèrent ainsi à la représentation d'une langue unique, immuable et homogène, menacée de l'intérieur et de l'extérieur. Les métaphores des menaces perdurent depuis les vitupérations contre l'italien au XVIe siècle, sur les registres du patrimoine en péril, de la guerre, de la contamination ou du viol ; et l'ennemi d'aujourd'hui est l'anglais, au profit duquel le français a perdu son statut international.

3.4. Le français est-il une langue en crise ?

Le thème de la « crise du français », apparu dans l'univers scolaire à l'orée du XXe siècle perdure, avec l'école en situation d'accusée qui échoue à former tous les jeunes (surtout pour la lecture et l'orthographe), sur fond de savoir scolaire ayant perdu de son prestige et n'étant plus garant d'une promotion sociale.

À partir des changements technologiques, des mutations sociales et de l'évolution des pratiques culturelles dans la deuxième moitié du XXe siècle en France, Gueunier (1985) cherche ce que recouvre le terme de crise. La tertiarisation des professions lui semble décisive, les couches moyennes ayant des attitudes linguistiques d'insécurité, ainsi que l'explosion scolaire ; mais ces facteurs, qui pourraient tendre à élever la qualité de la langue, sont contrebalancés par d'autres, comme la concurrence des médias et le recul du français au plan international.

La disparité des évaluations sur la langue illustre la complexité sociale du phénomène : il n'y a pas crise selon les chercheurs, mais il y a bien crise pour l'Éducation Nationale et pour le grand public (comme l'atteste la tonalité des chroniques de langue et des courriers de lecteurs). Gueunier oppose donc l'idée de crise à celle de baisse de qualité de la langue (qu'elle récuse). La crise serait surtout l'ébranlement du modèle de la langue écrite, qui suscite des attitudes opposées de découragement et de surinvestissement, et la déception devant l'école, qui ne garantit plus ni du travail ni la promotion sociale.

> **Remarque :** La situation évolue très vite. Plus de 20 ans après cet article, il semble que les effets des forces centrifuges dans les représentations se soient encore accentués, en particulier pour ce qui concerne l'écrit (avec l'explosion d'internet ou des SMS, et l'installation de graphies alternatives) et la déception devant l'école (chômage de jeunes diplômés).

3.5. Le français et les interventions de l'État

La France s'est dotée d'organismes de gestion et de défense de la langue, et les interventions de l'État, qui constituent une constante dans l'histoire du français, deviennent de plus en plus nombreuses au XXe siècle : réforme de l'orthographe, gestion des langues régionales, féminisation des noms de titres et professions, législation sur les emprunts. Depuis les années 1960, la France est active dans la Francophonie internationale, où elle occupe une position à ce point dominante en nombre de locuteurs et en poids historique et culturel que les Français se comportent souvent comme s'ils étaient les propriétaires exclusifs de leur langue.

Une habitude de soumission aux décisions venues d'en haut peut entraîner de la part des usagers le conformisme, la passivité et la résistance à l'innovation. Pourtant, l'adhésion à l'idée de francophonie entraîne aussi la reconnaissance progressive de la diversité et une attitude moins révérencielle envers les institutions. Mais un véritable changement dans les mentalités ne peut intervenir que très lentement.

Conclusion

La variation dans les productions attestées, qui se manifeste sous une grande diversité, est co-extensive à l'exercice de la langue, et ne constitue pas un phénomène « en plus » de l'essentiel de la langue, conçue comme homogène selon les représentations les plus fréquentes. Le constat de diversité peut être associé à différents facteurs extra-linguistiques, et impose de considérer les productions langagières dans leur contexte historique et social, hors duquel beaucoup d'attitudes de locuteurs ne se comprennent pas (ainsi, la norme, produit d'idéologie, a des effets ordinaires quotidiens chez les locuteurs, bien au-delà des institutions de sa gestion). Le français est évidemment une langue comme les autres, mais la particularité sociolinguistique que constitue la forte adhésion de ses locuteurs à l'idéologie du standard la fait quelque peu singulière, un pôle extrême, même parmi les langues très standardisées des États-nations occidentaux.

Pour aller plus loin

1. Pour les données historiques du français, leur passage au crible, et les recoupements, Ayres-Bennett 2005 sur le XVIIe siècle, et Ernst 1985 pour l'édition du journal d'Héroard. Pour le diatopique, Tuaillon 1983, Walter 1988, Hawkins in Sanders 1993 pour la France, Robillard & Beniamino pour le français hors de France. Carton *et al.* pour une cassette d'accents de France, Francard pour une cassette vidéo sur la Belgique, Encrevé 1988 sur l'histoire des enregistrements. Simard 1994 et Lafage 1990 pour des exemples de français d'Afrique (article en français). Chaudenson *et al.* 1993 pour des phénomènes syntaxiques de la francophonie. Pour les évaluations d'accents, Lafontaine 1988 ; Branca-Rosoff 1996 pour représentation et imaginaire linguistiques. Wiesmath 2006 pou l'une des variétés natives les plus éloignées du français de France ayant un nombre important de locuteurs, le français acadien. Pour les corpus, outre Gougenheim *et al.* 1964, Bergounioux *et al.* 1992 pour le corpus d'Orléans, Thibault & Vincent 1990 pour le corpus de Montréal. Blanche-Benveniste & Jeanjean 1986 et Blanche-Benveniste 1997b ; Gadet 1996 sur les corpus de francophonie et de langues européennes, *Recherches sur le français parlé* 2004 pour la constitution d'un nouveau « corpus de référence ». Cappeau & Gadet 2007 sur les risques d'usages hâtifs des corpus.

2. Présentation de l'architecture variationnelle dans la plupart des introductions à la sociolinguistique ; une présentation de cet aspect de l'œuvre d'Eugenio Coseriu disponible en français dans Koch & Oesterreicher 2001. Poursuite des réflexions théoriques sur la variation chez Dufter & Stark 2003, et Gadet 2004b.

3. Sur la standardisation, Milroy & Milroy 1985 pour l'idéologie du standard. Pour l'histoire du français, Lodge 1998b, qui s'appuie sur le modèle de Haugen, ainsi que 2004 ; Balibar & Laporte 1974. Sur la norme du point de vue sociolinguistique, Rey 1972, Bédard & Maurais 1983, Francard 1998. Klinkenberg 2001 pour la politique

linguistique en France et en Belgique du point de vue de l'usager, Chaudenson 2006 sur la gestion de la francophonie. Sur le purisme, Martinet *in* 1969 (« Les puristes contre la langue »). Bally 1930 parlait déjà de crise du français à propos de l'enseignement de la langue, et Savatovsky 2000 étudie la mise en place de l'expression vers 1900. Maurais 1985 pour un panorama de l'idée de crise des langues.

AYRES-BENNETT W., 2005, *Sociolinguistic Variation in Seventeenth-Century French*, Cambridge University Press.

BALIBAR R. & D. LAPORTE, 1974, *Le français national*, Paris, Hachette.

BALLY Ch., 1930, *La crise du français. Notre langue maternelle à l'école*, Neuchatel, Delachaux & Niestlé.

BEAUJOT J-P., 1982, « Les statues de neige, ou contribution au portrait du parfait petit défenseur de la langue française », *Langue française* 54, 40-55.

BÉDARD E. & J. MAURAIS, 1983, *La norme linguistique*, Québec & Paris, Conseil de la Langue Française & Le Robert.

BERGOUNIOUX G., J. BARADUC & C. DUMONT, 1992, « L'étude sociolinguistique sur Orléans (1966-1991), 25 ans d'histoire d'un corpus », *Langue française* 93, 74-93.

BRANCA-ROSOFF S., 1996, « Les imaginaires des langues », in H. Boyer (dir), *Sociolinguistique. Territoire et objets*, Lausanne, Delachaux & Niestlé, 79-114.

CAPPEAU P. & F. GADET, 2007, « L'exploitation sociolinguistique des grands corpus. Maître-mot et pierre philosophale », *Revue française de linguistique appliquée XII-1*.

CARTON F., M. ROSSI, D. AUTESSERRE & P. LEON, 1983, *Les accents des Français*, Paris, Hachette.

CERTEAU M. de, D. JULIA & J. REVEL, 1975, *Une politique de la langue : la révolution française et les patois, l'enquête de Grégoire*, Paris, Gallimard.

CHAUDENSON R., 2006, *Vers une autre idée et pour une autre politique de la langue français*, Paris, L'Harmattan.

ERNST G., 1985, *Gesprochenes Französisch zu Beginn des 17. Jahrhunderts. Direkte Rede in Jean Héroards « Histoire particulière de Louis XIII » (1605-1610)*, Tübingen, Niemeyer.

FISHMAN J., 1971, « The impact of Nationalism on Language Planning », *in* J. Rubin & B.H. Jernudd (*Ed*), *Can Language be Planned ?*, Honolulu, The University Press of Hawaï, 4-20.

FRANCARD M., s.d., *Ces Belges qui parlent français*, cassette vidéo, Unité de linguistique française, Université de Louvain-la-Neuve.

FRANCARD M., 2000-1, *Le français de référence. Constructions et appropriations d'un concept*, *Cahiers de l'institut de linguistique de Louvain*, Louvain-la-Neuve, 2 tomes.

GADET F. (dir), 1996, *Revue française de linguistique appliquée*, Vol I-2, *Les corpus*.

GAUCHAT L., 1905, « L'unité phonétique dans le patois d'une commune », *Aus Romanischen Sprachen und Literaturen : Festschrift Heinrich Mort*, Halle, Max Niemeyer, 175-232.

GILLIÉRON J. & E. EDMONT, 1902-1907, *Atlas linguistique de la France*, Paris, Champion, 35 fascicules, 7 volumes, 1920 cartes ; réimpression Bologna, Forni, 1968-1969, 10 vol.

GUEUNIER N., 1985, « La crise du français en France », *in* J. Maurais (dir.), 4-38.

GUEUNIER N., E. GENOUVRIER & A. KHOMSI, 1978, *Les Français devant la norme. Contribution à une étude de la norme du français parlé*, Paris, Champion.

GUEUNIER N., E. GENOUVRIER & A. KHOMSI, 1983, « Les Français devant la norme », *in* Bédard & Maurais (dir.), 763-87.

HAUGEN E., 1972, « Dialect, Language, Nation », *in* J. Pride & J. Holmes *Eds, Sociolinguistics*, Harmondsworth, Penguin, 97-111.

LAFAGE S., 1990, « Regionale Varianten des Französischen ausserhalb Europa. Afrika », *in* G. Holtus, M. Metzeltin & C. Schmitt (*Hgg*), *Lexikon der Romanistischen Linguistik*, Tübingen, Max Niemeyer Verlag, Volume V-1, 767-87.

LAFONTAINE D., 1988, « Le parfum et la couleur des accents », *Le français moderne* 1/2, 60-73.

MAURAIS J. (dir.), 1985, *La crise des langues*, Québec et Paris, Conseil de la langue française et le Robert.

MILROY J. & L. MILROY, 1985, *Authority in Language*, London and New York, Routledge.

Phonologie du Français Contemporain, site http://www.projet-pfc.net/

Recherches sur le Français Parlé, 2004, « À propos du corpus de référence », n° 18.

REY A., 1972, « Usages, jugements et prescriptions linguistiques », *Langue française* 16, 4-28.

ROBILLARD D. de & M. BENIAMINO (dir.), 1993 & 1995, *Le français dans l'espace francophone*, Paris, Champion.

SAVATOVSKY D. (dir.), 2000, *La crise-du-français, Études de linguistique appliquée* n° 118.

SIMARD Y., 1994, « Les français de Côte d'Ivoire », *Langue française* 104, 20-36

THIBAULT P. & D. VINCENT, 1990, *Un corpus de français parlé. Montréal 84 : historique, méthodes et perspectives de recherche*, Recherches sociolinguistiques 1, Bibliothèque national du Québec.

TUAILLON G., 1983, « Régionalismes grammaticaux », *Recherches sur le français parlé* 5, 227-39.

WALTER H., 1988, *Le français dans tous les sens*, Paris, Robert Laffont.

CHAPITRE II

ENTRE ORAL ET ECRIT

Pour étudier le français parlé, les données de qualité ont à être constituées à partir d'enquêtes ou d'observations de situations réelles, puis à être préparées pour l'analyse à travers une transcription. À la différence de la plupart des champs des sciences du langage qui travaillent sur des textes oraux ou écrits déjà constitués, la sociolinguistique peut ainsi être rapprochée de l'analyse de discours, l'analyse de conversation, ou l'étude de l'acquisition (interlangue d'apprenants). Nous commencerons donc par nous arrêter à des enjeux de méthodes, ce qui nous conduira à confronter oral et écrit, dont la relation n'a pas été beaucoup problématisée par les sociolinguistes, sans doute parce que pour beaucoup d'entre eux, c'est l'oral qui constitue l'objet par excellence.

1. Observer puis transcrire l'oral

Parmi les données orales, les plus délicats à recueillir sont les énoncés vernaculaires, dont la collecte soulève des questions pratiques aux retombées théoriques, épistémologiques et éthiques.

1.1. La position classique d'observation

Le recueil de langue ordinaire a pour l'essentiel été effectué selon les méthodes de disciplines de terrain que sont les sciences sociales et la dialectologie.

1.1.1. Le paradoxe de l'observateur

La sociolinguistique naissante des années 1960 a formulé le « paradoxe de l'observateur » :

> « Le but de la recherche linguistique au sein de la communauté est de découvrir comment les gens parlent quand on ne les observe pas systématiquement ; mais la seule façon d'y parvenir est de les observer systématiquement » (Labov 1977, p. 290).

La réflexion porte sur la position occupée par l'observateur vis-à-vis de son objet d'observation, et met en cause tout autant la place de locuteur (un observateur s'observant lui-même) que celle d'interlocuteur (critique de l'interview). L'interview avait pu d'abord apparaître comme une ressource tentante, pour sa facilité de mise en place et pour la comparabilité qu'elle permet. Mais les données ainsi obtenues n'ont rien d'écologique, même dans les interviews dites informelles, où l'interviewé est « mis à l'aise », avec l'inconvénient de constituer un genre discursif confus, à cause de consignes contradictoires (genre public, mais incitation à une attitude informelle).

Des propositions méthodologiques cherchant à réduire le paradoxe exploitaient les marges de l'interview, en laissant le magnétophone tourner après l'enregistrement ou en profitant d'intrusions inopinées comme un coup de téléphone, le surgissement d'un familier, d'un enfant ou d'un animal. Une autre pratique orientait la tâche en demandant à l'interviewé s'il s'était déjà trouvé en danger de mort ; et si la réponse était positive, à attendre le récit justificatif, en misant sur la charge émotionnelle pour inhiber la surveillance. Mais le « truc du danger de mort » a trop souvent été repris sans sensibilité à la situation locale et à l'histoire de vie de l'interviewé.

Pour éviter d'appliquer sans distance des recettes conçues pour d'autres terrains, il faut prendre la relation entre interviewer et interviewé comme une interaction parmi d'autres (certes un peu particulière), dont la qualité dépend de ce qui y est mis.

1.1.2. Méthodes ethnographiques d'observation

Comme alternative au face-à-face de l'entretien, l'ethnographie a mis au point l'observation participante, où le chercheur occupe une place dans les interactions. Une telle posture procure des données de qualité et un accès sans équivalent aux pratiques routinières ou non officielles sur lesquelles les observés ne diront rien à un enquêteur, qu'ils les trouvent banales, trop peu légitimes ou qu'ils ne sachent rien en formuler ; mais le coût de cette technique est élevé, en temps et en investissement personnel, et parfois se posent des problèmes éthiques. Les données issues de ces observations peuvent être, selon les possibilités d'approche, enregistrées ou prises en notes ; en ce dernier cas, il faut s'assurer que les modalités de formulation de descriptions, de comportements, ou de propos ne recèlent pas des préjugés, sous la forme d'une pré-catégorisation.

La structure de l'échange verbal offre d'autres ressources pour réduire l'impact de la position d'observateur, comme le partage du rôle de récepteur indirect avec d'autres membres de l'audience. Ainsi, une méthode d'ethnographie de la communication s'avère moins coûteuse que l'observation participante : les enregistrements de groupes en interaction ordinaire, où la dynamique du groupe l'emporte sur d'hypothétiques effets d'observation.

Ces méthodes ont en commun de se fonder sur des interactions les plus proches possibles des conditions de production écologique.

1.1.3. Outil d'analyse. Un ethnologue en banlieue

L'ethnologue David Lepoutre (1997) a habité pendant deux ans dans une cité de Seine-Saint-Denis où vivaient la plupart des élèves du collège où il enseignait, et a pratiqué une observation participante avec insertion durable. Son objectif était une ethnographie des groupes de jeunes en partie consacrée à leurs pratiques linguistiques et langagières.

Son observation participante s'appuie sur le fait qu'il occupe une place naturelle, menant sa vie ordinaire (même si certains élèves, au début, s'interrogent sur la présence d'un enseignant dans une cité défavorisée). Il ne sort pas de son rôle d'enseignant, mais il vit sur le même lieu que les élèves, et partage avec eux certaines activités, par exemple sportives. Il a ainsi été témoin d'interactions quotidiennes et d'événements, langagiers ou non, que les acteurs ne rapportent pas volontiers. Il bénéficie ainsi d'un point de vue endogène sur les formes de vie du groupe, et recueille des commentaires qu'il serait difficile voire impossible à un enquêteur extérieur d'obtenir, par exemple en entretien.

1.1.4. Se garder du « forçage social »

On peut enfin opposer les énoncés recueillis, selon que leur production est ou non provoquée par le chercheur (interactions spontanées authentiques, qui interviennent même sans la quête du chercheur *vs* produits de différents types d'incitations). Un exemple de production sollicitée est la lecture en cours d'interview. Cette technique, conçue par Labov lors des premiers tâtonnements méthodologiques, permet d'obtenir très vite des données parfaitement comparables, dont on comprend bien l'utilité pour certains objectifs de recherche, comme en phonétique.

Étant donné leur proximité avec les variantes de distance, il est tentant de les regarder comme des données formelles, et de les opposer au style ordinaire de la conversation. Cependant, la pratique de l'oral et de l'écrit peut-elle, pour un usager, revêtir le même sens (parler spontanément *vs* lire à haute voix) ? Comment celui-ci construit-il la signification sociale et cognitive, en cours d'interview, d'une lecture de textes suivis ou de mots entrant dans des paires minimales ? La question est encore plus aiguë pour les interviewés de faible niveau culturel. Même sans illusions sur la possibilité d'atteindre un mythique naturel avec des données sollicitées, de telles pratiques dédaignent trop les spécificités de la communication orale pour être à conserver par un sociolinguiste.

Il y a sans doute, dans la persistance de cette pratique, un certain manque d'approfondissement de la confrontation oral/écrit et, d'un point de vue d'histoire de la discipline, un effet de l'émergence de la sociolinguistique chez des phonologues.

1.2. Sur le terrain, l'expert n'est jamais le maître

Les méthodes élaborées à partir du paradoxe de l'observateur reposent sur l'implicite positiviste d'une réalité indépendante de l'observateur et de l'observation, que la présence d'un enquêteur pourrait troubler. Cameron (1998) les réévalue en décrivant trois postures possibles du chercheur en sciences sociales envers le terrain : l'éthique, la défense, et la responsabilisation. La première émane d'une perspective de recherche sur des observés, la deuxième sur et pour eux, la troisième sur, pour et avec eux.

L'exigence d'éthique est le requis minimal (décisions sur ce qui est à dire du projet, sur ce qui sera publié, garantie d'anonymat). Certes, elle exclut les pratiques trompeuses (micro caché, caméra invisible, piégeage) ; mais elle reste paternaliste, en ne laissant à l'observé qu'un rôle passif, le chercheur demeurant maître d'œuvre. Quant à l'attitude de défense, elle consiste à s'opposer à des propos erronés concernant la communauté, et à lui prêter son expertise. Cameron juge qu'il faut aller au-delà de ces positions d'éthique et de défense, car « rectifier des erreurs » n'a de sens que si l'on pense que le vrai s'oppose au faux ; et comme il est peu probable qu'une communauté entière s'accorde sur ce qui est bon pour elle, le chercheur tire parti de la position de pouvoir que lui confère son statut d'expert.

Dans la posture de responsabilisation au contraire, l'interaction chercheur/observé devient une collaboration négociée entre participants, et les observés ont un rôle à jouer dans la définition des objectifs d'enquête. Cette position fait de l'observé autre chose qu'un simple objet d'investigation, et lui reconnaît un savoir social en attendant de lui une place à l'égard de l'information collectée et de son évaluation.

1.3. De l'entendu au lisible

Après le recueil, les données orales doivent être préparées pour l'analyse, par la transcription qui les transmue en objet de travail visualisable, donc écrit. Il apparaît exclu qu'un mode de transcription unique satisfasse tout objectif descriptif.

1.3.1 Observation. Représentations graphiques ordinaires

Les enjeux ne se situent pas dans les transcriptions phonétiques, dont la technicité assure la légitimité, mais dans les transcriptions orthographiques, aussi bien celles destinées au grand public que celles de chercheurs autres que linguistes.

Ainsi, quand je lis (1) au début d'un article de journal qui relate un entretien mené par un journaliste, je comprends que le locuteur dont les propos vont être rapportés relève des couches populaires : les apostrophes à la place des *e* muets y suffisent, de même qu'en (2) le *z'* donne à entendre « élève en difficulté » dans un livre sur l'école qui présente des propos d'enseignants et d'élèves :

(1) j'vous sers un p'tit thé ?
(2) vous z'êtes ouf

Ces graphies ne sont pas motivées par des spécificités de prononciation, puisque l'absence de *e* muet en (1) et la liaison obligatoire en (2) relèvent de l'oralité courante : il s'agit donc d'un processus idéologique de construction d'un stéréotype. En ce sens, il s'agit d'un genre spécifique d'écrit, et non de l'expression d'un « oral dans l'écrit », comme il a souvent été dit.

Remarque : En (1), les propos rapportés sont traduits (article du *Courrier international* traduisant le *Guardian* britannique). Il y a un travail à faire sur les marques et les stéréotypes graphiques du populaire dans différentes langues.

1.3.2. Les aménagements graphiques

Les aménagements auxquels recourent souvent les chercheurs en sciences sociales cherchent à représenter une prononciation divergeant de ce que laisse attendre la graphie, selon trois niveaux d'intervention croissante : suppression des hésitations, ellipses et répétitions (toilettage du texte) ; représentation de particularités de prononciation (mimésis d'oralité) ; correction de « fautes de syntaxe » et révision du lexique ou du style. Plutôt que le premier niveau, pratique de non-linguistes, ou le troisième, dont l'interventionnisme radical risque de porter atteinte au sens, nous étudierons ici le deuxième.

Un aménagement fréquent est le *e* muet noté par une apostrophe, dont il est difficile de tenir la cohérence, comme on le voit en (3) et (4), relevés à 35 pages de distance dans le même ouvrage de récits de vie (il est peu probable que les trois *e* de (3) aient tous été prononcés). Difficile aussi de reproduire à l'écrit les contraintes orales sur sa chute : en (5), l'alternative entre (5a) et (5b) est plus probable que (5), qui figure dans un article de sociologue. En (6), si le *e* de *le* est tombé, le *e* final de *refaire* a sans doute été prononcé, ce qu'il n'y a pas moyen de noter avec l'orthographe ordinaire :

(3) ce que je fais et tout, c'est pas précis
(4) j'travaille à cinq minutes de chez moi, j'suis là cinq minutes après
(5) ils s'foutent vraiment de la gueule des gens
(5a) ils se foutent
(5b) i s'foutent
(6) pas pour refaire l'monde

Pour indiquer une prononciation [i] du pronom *il*, on rencontre souvent comme en (7) la graphie y, dont le mérite graphique est d'être un mot existant, contrairement à *i* en (8), mais dont l'analyse grammaticale est impossible :

(7) ceux qui fument y gênent (affiche anti-tabac)
(8) moi c'que j'dis qu'i manque à des gars comme vous

D'autres omissions de consonnes sont difficiles à représenter, les bricolages conduisant vite à des aberrations, difficilement tenables ou illisibles. En (9), *parce que* prononcé sans [r] ne peut être représenté sans trucages (*pasque, paceque, pa'ce que*), qui deviendraient rapidement illisibles :

(9) parce que à l'école j'pense on apprend trop aux gens
(9') pa'c'qu'à l'école

L'omission de mots n'exige pas de trucage (*ne* et *il* en (10)), mais pose un problème de cohérence comme en (11), où il est, dans les deux cas, indécidable si la prononciation avec [n] provient de la liaison obligatoire ou de la négation élidée :

(10) faut pas croire
(11) on n'est pas allé très loin tous, du fait qu'on avait pas les moyens d'aller plus loin

Seule une graphie sans aménagement ni réécriture limite le risque de stigmatiser un énoncé. Il est impossible de représenter toutes les particularités de prononciation ; et d'ailleurs, avec quel objectif ? Si elles importent pour ce que l'on veut donner à voir, alors il faut transcrire en phonétique.

Remarque : Dans tous les cas étudiés ici, la transcription notée respecte celle qui a été adoptée par les auteurs (en général des sociologues), et pas forcément ce que nous pourrions préconiser. Pour des raisons de place, nous n'avons donné ici que des exemples très courts.

1.3.3. Étude de cas. Mimésis écrite de discours oraux

Maintes occasions confrontent le grand public à des transcriptions. Avec ou non un objectif de recherche littéraire, les représentations écrites de discours oraux nous en apprennent davantage sur les représentations sous-jacentes de l'auteur ou des usagers de la langue que sur les prononciations effectives.

Vigneault-Rouayrenc (1991) a travaillé sur les représentations littéraires de l'oralité « ordinaire et populaire » chez 57 romanciers de l'entre-deux-guerres, en particulier sur le *e* muet, probablement le stéréotype le plus fréquemment mis en scène dans la représentation courante d'oral ordinaire, à la fois pour des raisons de fréquence et de représentabilité graphique (présence/absence). Elle montre que les transgressions à la norme graphique du *e* muet sont reçues comme une marque socioculturelle, plus que d'oralité. À partir de l'étude systématique des suppressions des *e* graphiques (type de mot, position dans la séquence, environnement phonique), elle conclut à un paradoxe dans l'institution d'un code de « dénoteurs d'oralité », tendanciellement stigmatisante : la difficulté d'une mise en œuvre cohérente montre en effet à quel point « l'écrit est réfractaire à toute intégration de l'oral ».

1.4. Du terrain à la bande, de la bande à la page

Dans l'impossible conciliation de la fidélité et de la lisibilité dans une transcription, les linguistes se soucient moins de lisibilité. Mais pour les autres sciences humaines, les transcriptions doivent être orthographiques et ne pas comporter trop de notations annexes. On peut toutefois se demander si les linguistes se donnent vraiment les moyens d'appréhender l'oral autrement que domestiqué par les normes de l'écrit.

Le plus délicat est de restituer les paroles d'enquêtés de faible capital culturel. L'alternative entre réécrire (instituer des paroles en écrit orthographié) et aménager s'avère peu satisfaisante, car la condition de la lisibilité est de limiter les écarts représentés par rapport à la graphie normée. Mais c'est un indice d'absence de prétention à la fidélité, qui confirme que l'enjeu n'est pas une impossible restitution du parlé, mais bien la mise en place de conventions de représentation de l'oral ordinaire ou populaire, qui rend dérisoires les tentatives d'aménagement. Vue l'épaisseur matérielle de la langue, on ne peut agir sur l'image sans toucher au sens et à la valeur sociale : la langue n'est pas un outil transparent qui ne ferait que véhiculer des contenus antérieurs à la mise en discours, dont on pourrait retoucher la représentation. Les manipulations pour améliorer la lisibilité risquent donc de dissimuler la spécificité de l'oral, de gommer des structurations signifiantes, et d'écraser le statut d'oral en normalisant les données. De plus, certains aspects, typiques de l'oral interactif comme les chevauchements, sont difficilement représentables dans la linéarité graphique, même aménagée.

La transcription implique certes de la perte. Mais transcrire, c'est mettre à distance le corps producteur autant que le contexte de production (hormis les éléments pertinents), préparer l'analyse à travers la saisie par l'œil, la visualisation par l'écriture instaurant une rupture sémiologique par rapport à l'oralité. Il faudrait donc savoir regarder l'écrit transcodé de l'oral autrement que comme de l'écrit, s'abstraire de la routine de l'œil façonné à l'écrit. Les questions de transcription conduisent alors à une réflexion sur la littératie, car, « en migrant du terrain à la bande puis de la bande à la page, l'oral se transforme » (Mondada 2000, p. 132).

Les ordres de l'oral et de l'écrit apparaissent décidément bien irréductibles l'un à l'autre.

2. Communiquer par oral et par écrit

Si l'oral a pu devenir objet d'étude, bien après l'écrit, c'est avec le franchissement de quelques étapes technologiques : le magnétophone a permis le reproductible ; portatif, il a donné accès à des lieux où sa présence se fait discrète ; les technologies documentaires ont permis de traiter de grandes masses de données. Et la vidéo permet d'étudier la parole en relation avec le corps (gestes, regards, positions des corps ou des mains, expressions faciales).

2.1. La littératie

La littératie est la pratique généralisée de la lecture-écriture, les effets d'une culture de l'écrit sur les énoncés, les pratiques, attitudes et représentations, pour un locuteur ou une communauté de locuteurs.

2.1.1. Observation. Le « visage » de la langue pour les usagers

En pays de littératie et d'idéologie du standard, le pouvoir prêté à l'écrit minorise le statut de l'oral. Tout spécialement en français, l'écrit, lieu essentiel où a porté la standardisation, apparaît plus homogène que l'oral, où le foisonnement variationnel peut difficilement être jugulé, ce qui réaffirme l'opposition convenue entre écrit normé et oral instable.

C'est d'abord à travers des catégories de l'écrit que les usagers se représentent leur langue, comme le montre la fréquence, dans des énoncés ordinaires, d'appel à des catégories d'écrit pour faire comprendre de l'oral :

(12) il s'est fait traiter de con / en trois lettres
(13) j'ai refusé de le remplacer > / point final >
(14) au nord ils étaient / je mets des guillemets / c'est pas très radiophonique / mais / au nord ils étaient plus libéraux quand même (radio)
(15) les mots ne suffisent pas il faut les faits de l'apaisement f-a-i-t-s (radio)

La formation par l'écrit, lieu métalinguistique à peu près unique dans l'école française, a pour effet que c'est la forme écrite qui en vient pour l'usager à matérialiser la langue, faite objet de regard. En pays de littératie, on peut donc difficilement étudier l'oral sans une prise en compte parallèle de l'écrit.

2.1.2. Influence de l'oral sur l'écrit, et de l'écrit sur l'oral

Des graphies comme (16) à (18) montrent la difficulté pour les enfants d'apprendre à couper les mots, et elles sont regardées comme une contamination de l'écrit par l'oral. Celle-ci est stigmatisée, en particulier dans l'acquisition scolaire, pour l'orthographe mais aussi pour la rédaction :

(16) la fée est t'entrain de lui faire un bisou
(17) il est té tune foit
(18) la princesse avémi un petit pois

L'influence de l'écrit sur l'oral a été moins commentée. En voici quelques manifestations. 1) À la fin du XIXe siècle, au moment où l'ensemble des Français commence à accéder à la littératie par l'école obligatoire, la connaissance de certains mots passe pour beaucoup d'usagers par la seule lecture. D'où l'orthographisme, qui influence la prononciation, comme l'articulation d'un [p] dans *dompteur*, ou la prononciation [il] de *il* devant consonne ([l] étant jadis élidé dans la norme, selon une complémentarité [i] devant consonne et [il] devant voyelle, qui se rencontre aussi dans la liaison). Les grammairiens déprécient ces orthographismes, en parlant par exemple de pratiques de semi-lettrés, quand une attitude positive les donnerait comme adaptation de la phonie à la graphie. 2) Beaucoup de variables phoniques du français reposent sur une manifestation graphique, avec zéro pour réalisation dévalorisée (*e* muet, liaison, simplification de groupe consonantique, élision), ce qui conduit à regarder la forme ordinaire comme absence orale de quelque chose qui existe à l'écrit, donc qui existe tout court. 3) Les locuteurs n'entendent l'oral qu'à travers le filtre de l'écrit : beaucoup croient prononcer tous les *ne*, et peu entendent un [t] dans *médecin*, pourtant inévitable si le *e* est élidé. 4) Il existe en verlan des formes qu'on ne peut comprendre qu'en référence à la graphie (lettres muettes), ce qui ne manque pas d'intérêt, de la part de locuteurs peu investis dans la littératie. Ils ne sont certes pas nombreux, mais leur existence même est instructive : *zen*, *luc* ou *ulc*, *à donf* (nez, cul, à fond), *keublan* (blanc) ou encore [ʃeasp] pour *je sais pas*.

2.2. Médium et conception

Oral et écrit ne se distinguent pas qu'au moyen de la substance, mais aussi par des aspects matériels, des formes grammaticales ou discursives préférées, et des pratiques spécifiques des usagers.

Il faut avant tout distinguer entre le médium et la conception. Pour le médium, la production orale met en jeu le corps entier (la voix, offrant la ressource du supra-segmental, est exprimée au moyen de sons issus d'une bouche), et s'accompagne de gestes et mimiques ; l'écrit, lui, exploite seulement la main et ses prolongements, en posant une trace sur un support externe. La réception orale passe par l'auditif mais met aussi en jeu des signaux visuels, quand la lecture se ramène au seul usage des yeux. Quant à la conception, elle concerne les modalités de constitution fonctionnelle et communicative d'un énoncé. Le médium relève d'une dichotomie stricte, quand la conception offre davantage de souplesse.

C'est pourquoi un énoncé d'oral médial peut avoir des caractéristiques discursives d'écrit, ou l'inverse. Les exemples oraux de (19) à (22) ont vraisemblablement été formulés par écrit avant d'être lus ; (23) et (24) conservent la trace des consignes du voyant lumineux sur un appareil, ou de la case à cocher dans un questionnaire. Toutefois, ces deux derniers exemples, joints à (25), où le médecin « traduit » ses propos pour le profane, invitent à se demander s'il s'agit vraiment d'une opposition entre oral et écrit, ou plutôt d'une différence entre discours expert (jargon spécialisé ou administratif) et langage ordinaire :

(19) nous sommes à votre disposition pour votre information et le bon déroulement de votre voyage (annonce TGV)

(20) une interruption momentanée de la direction demandée ne nous permet pas de donner suite à votre appel (message télé phonique pré-enregistré)

(21) pour être valable votre billet doit être composté / si cette éventualité n'est pas faite / veuillez contacter le contrôleur (*sic*, annonce TGV)

(22) alors / dans ce moment de difficulté que connaît le premier ministre / la droite est-elle pour autant en situation de le contester < [radio]

(23) j'ai un manque de papier (usager d'une photocopieuse)

(24) Christophe a eu son incident voyageur et moi j'ai subi une agression au couteau (interview télévisée de chauffeur d'autobus)

(25) *Médecin, à la fin de l'examen* : dégradation de l'état général
Accompagnateur de la patiente : pardon <
Médecin : elle a tout qui va mal

Les exemples de (26) à (28) sont des publicités écrites qui singent l'oral, de façon plus ou moins adroite. L'absence écrite de *ne* continue à provoquer des réactions, comme cela a été le cas avec des écrits publics comme (29) ou (30), qui recherchaient la connivence de l'oral. La relative de (31), qui s'appuie sur la co-activité des interlocuteurs, n'a présenté aucun obstacle à la compréhension en situation :

(26) froid ? moi, jamais !

(27) fini, la crise

(28) Ma revue préférée, c'est grâce à OFUP que je me suis abonné

(29) Touche pas à mon pote (slogan anti-raciste écrit)

(30) Le tabac… c'est plus ça (affiche du Ministère de la Santé)

(31) *Réparateur de télévision montrant comment fixer la cinquième chaîne dont le chiffre figurait à l'écran* : la cinq / c'est la seule qu'ils ont écrit

La relation privilégiée entre oral et proximité, d'une part, écrit et distance de l'autre, est cependant davantage que de simples affinités, car les contraintes et les possibilités conceptionnelles ne sont pas indépendantes des traits constitutifs de chaque médium.

2.3. Les effets matériels du médium

Oral et écrit ne suivent pas un même déroulement matériel, ce qui a des effets formels et fonctionnels. Le déroulement linéaire de l'oral n'exploite que l'axe temporel, alors que l'écrit est d'abord soumis aux contraintes d'espace. Une conséquence est l'impossibilité d'effacer à l'oral, qui se manifeste par des bribes, hésitations, ruptures, répétitions, ou la présence de ponctuants (ou marqueurs de structuration de la conversation). Ces phénomènes, sans correspondants écrits, sont en général stigmatisés, alors qu'ils constituent des traces de la construction/structuration du discours :

(32) c'était un peu un com- comment comment vivre au quotidien

Les linguistes considèrent en général qu'il existe des caractéristiques de l'oral et de l'écrit, qui transcenderaient les cultures. Voici comment Jahandarie (1999) présente les principaux traits représentant les oppositions les plus fréquemment évoquées, qui concernent d'ailleurs plus les caractéristiques médiales ou conceptionnelles d'émission que des particularités linguistiques :

Tableau 2
Caractéristiques de l'oral et de l'écrit
(d'après Jahandarie 1999, chap. 8)

Oral	**Écrit**
prosodie	ponctuation
évanescence	permanence
contextualisation	autonomie
implication	détachement
redondance	concision
naturel	acquis
dirigé vers autrui	dirigé vers soi
transparent	dense
flou	précis

2.4. Les modalités de jonction

Les aspects matériels et discursifs des deux ordres ont des conséquences qui se mesurent plus particulièrement en certains points des discours, comme les modalités de liens grammaticaux entre énoncés.

Le parlé permet deux types de jonctions entre énoncés : liens segmentaux explicites (hypotaxe : subordination et coordination), trait partagé avec l'écrit, et parataxe (ou absence de lien), phénomène mal nommé car l'intonation y joue bien un rôle syntaxique d'intégration. L'oral offre ainsi une gamme de mises en relation d'énoncés : 1) absence de marques autres que prosodiques ((33), avec une intonation qui introduit une relation temporelle ou causale glosable en *dès que* ou *alors* ; 2) structure binaire sur un SN, comme en (34), avec intonation ouvrante/fermante) ; 3) marquage autre que démarcatif, par l'imparfait en (35) et (36), l'adverbe en (37), le ponctuant *ben* en (38) ; 4) hypotaxe, partagée avec l'écrit, qui connaît elle même plusieurs degrés, de *que* qui ne fait que joindre deux structures, à des phénomènes d'intégration comme le participe présent de (39), qui fait très « écrit » :

(33) il rentre < / il s'assoit devant la télé >
(34) Paris < / y a pas à se plaindre >
(35) je finissais les entraînements j'en pouvais plus
(36) tu arrivais pas tout de suite < / je m'en allais >
(37) le début donnait une idée de sa grandeur / maintenant nous avons une idée de son humanité
(38) quand tu as déjà réuni tout ça ben là tu es prête à faire ta recette
(39) pensant que le roi n'aurait pas été d'accord avec ce mariage elle a décidé de se marier en secret

L'exemple (40) souligne la différence de prototypes conceptionnels d'oral et d'écrit : *la forte minéralisation du paysage parisien* passe mal à l'oral, donnant un effet de titre, de cascade de syntagmes prépositionnels et de nominalisations, comme dans l'exemple construit (41). À l'oral, l'effet peut vite devenir de « langue de bois », comme en (42) ou (43) :

(40) *L1 qui lit le journal* : ça veut dire quoi la forte minéralisation du paysage parisien <
L2 : ça veut dire qu'à Paris y a plus d'arbres
(41) la forte minéralisation du paysage parisien a pour contrepartie la nécessité de procéder à une réélaboration de la conception de l'espace

(42) on sait très bien que ces politiques budgétaires aujourd'hui sont *a priori* conditionnées par un pacte de stabilité qui implique que sauf dérogation de cas exceptionnels les partenaires de la zone n'ont pas le droit à des déficits publics supérieurs à 3 % de leur PIB

(43) cette construction repose essentiellement sur la création d'une monnaie unique qui est le premier pas vers une intégration européenne

L'oral, où en général les protagonistes sont en co-présence, peut recourir à des structures formellement peu explicites. Souvent regardées comme défectueuses ou inachevées, elles sont pourtant adaptées au contexte d'énonciation. La nature pluri-sémiologique de l'oral est ainsi manifeste dans les structures binaires de (44) ou des enchaînements sur du non-verbal comme en (45), où l'enchaînement en *parce que* ne fait suite qu'à un regard :

(44a) lui rendre l'argent < / [grimace]
(44b) lui rendre l'argent < / [geste de refus]
(44c) lui rendre l'argent < / pas question
(45) {Regard interrogatif de L2}
L1 : parce que… / j'ai oublié de payer

2.5. Ce que nous apprennent les productions de scripteurs malhabiles

Il est impossible qu'un locuteur se souvienne de ce qu'étaient pour lui l'oral et l'écrit avant son entrée dans la littératie, de même qu'il n'y aurait pas de sens à interroger un membre de société d'oralité. Mais on peut, par un détour, approcher le langage d'avant l'écrit.

Schlieben-Lange (1998) étudie les graphies de « scripteurs malhabiles » (ayant acquis l'écrit de façon incomplète), afin de comprendre, à travers les traits qu'ils valorisent, la représentation qu'ils se font de l'écrit, dans une « scripturalité forcée, affichée, voyante, exagérée ». À côté d'éléments censés assurer le caractère écrit du texte, en surabondance, elle étudie en particulier les phénomènes qui « portent des empreintes de l'oralité », quand l'écriture épouse le rythme du parlé, comme un emploi inconséquent des moyens de ponctuation, une référentialisation incertaine ou des co-références lourdement soulignées (pronoms démonstratifs, reprise pronominale, procédés anaphoriques explicites), l'absence de cohérence dans la position d'énonciateur à l'origine du texte, ou les efforts pour enchaîner les propositions, au besoin en forçant l'intégration (constructions gérondives, conjonctions, syntagmes relatifs). On peut supposer qu'il y a, dans l'abondance de ces procédés, une tentative pour compenser ce qui est interprété comme perte d'information de l'écrit par rapport aux « entours » de l'oral, tenant compte du degré auquel ce qui, à l'oral, est sous-entendu, implicite ou inféré, doit être explicité à l'écrit.

3. Le « grand partage »

Les différences entre oral et écrit atteignent-elles le statut de propriétés du langage, et déterminent-elles des ordres de langue distincts, jusqu'à la thèse du « grand partage » ?

3.1. Un savoir élocutionnel

Dans l'idée de « savoir élocutionnel » (qui vient de Coseriu), indépendamment de la langue dans laquelle il s'exprime, et indépendamment du médium pratiqué (oral, écrit, truchement de technologies), un usager, du fait même qu'il sait parler, dispose de connaissances et d'attentes générales sur le langage et le fonctionnement des langues, qu'il peut reconduire en passant d'une langue à l'autre, ou en découvrant un nouveau médium. Ce savoir, supposé universel, repose sur des stratégies communicatives très générales et sur la capacité de les analyser : référentialisation, prédication, contextualisation, orientation spatio-temporelle…, qui répondent à des facteurs cognitifs de base.

3.1.1. L'engagement

Le fait qu'écrire soit une activité solitaire, et parler une activité plutôt interactive entraîne une différence d'investissement de l'énonciateur : on peut ainsi opposer une tendance vers un pôle informatif (engagement minimal, détachement, volonté de neutralité) ou investi (engagement inscrit dans le discours). Autant que d'un effet de médium, il s'agit de la pratique conceptionnelle qu'en ont les locuteurs. L'oral fonctionne davantage à l'implicite, sur présupposés partagés, sous-entendus et inférences conversationnelles ; ce qui le situe vers le pôle de l'engagement, face à l'écrit qui tend à décontextualiser, imposant ainsi des procédés d'explicitation. Mais il s'agit de tendances, plus que d'une dichotomie, car il n'existe pas de discours totalement décontextualisé. Cette implication du locuteur dans la situation ou dans son discours se manifeste à travers divers procédés, comme les déictiques, surtout de première personne, des éléments évaluatifs (adjectifs, relatives, adverbes…), des ponctuants (*bon, eh ben, tu vois, quoi, écoute, tiens*…), ou de *juste* et *vraiment* dans des récits. Ainsi, (46) – (48) montrent un engagement énonciatif, plus attendu dans la proximité, surtout orale :

(46) moi / j'ai ma mère qui est malade
(47) j'ai ma mère / elle est malade
(48) j'étais juste bien incapable de savoir comment je m'étais retrouvé là

3.1.2. Outil d'analyse. Les paramètres de la communication humaine

Pour Koch & Œsterreicher (2001), s'il y a une relation privilégiée entre oral et proximité, écrit et distance, ce n'est pas par une nature de chaque médium, mais par le jeu des paramètres en cause, selon une perspective anthropologique qui se trouve à la base de toute communication humaine :

Tableau 3
Les paramètres de la communication
(Koch & Oesterreicher 2001, p. 586)

	Proximité	**Distance**
1.	communication privée	communication publique
2.	interlocuteur intime	interlocuteur inconnu
3.	émotionnalité forte	émotionnalité faible
4.	ancrage actionnel et situationnel	détachement actionnel et situationnel
5.	ancrage référentiel dans la situation	détachement référentiel de la situation
6.	co-présence spatio-temporelle	séparation spatio-temporelle
7.	coopération communicative intense	coopération communicative minime
8.	dialogue	monologue
9.	communication spontanée	communication préparée
10.	liberté thématique	fixation thématique

Etc.

La variabilité est large, compte tenu des possibilités de combinatoire entre paramètres dont le fonctionnement est en dichotomie (le sixième), et paramètres acceptant plusieurs étapes, sinon en continuum (tous les autres, à différents degrés). Sans réifier l'opposition, ce modèle est applicable à toute culture, soulignant le parallèle entre sociétés de littératie et sociétés sans écriture. Il permet aussi de prendre en compte tous les types d'oralité (même élaborée ou fictive), et de faire l'économie du terme « diamésie » du tableau 1, qu'il décompose en paramètres.

3.1.3. Les conceptions contextualistes

Ce sont davantage les approches d'ethnologues et de sociolinguistes. Elles s'opposent aux modèles antérieurs, en regardant les propriétés attribuées au support oral ou écrit comme des caractéristiques des discours, liées au contexte où les activités sont pratiquées. Il n'existe pas de discours hors contexte, ni oral ni écrit, et l'écrit est lui aussi tributaire de ses conditions de production. D'où l'importance des marques de contextualisation (comme une intonation ironique, des rires, des ralentissements, des accumulations de bribes…), dont l'étude en contexte se distingue de celle d'approches qui attribuent à l'oral et à l'écrit des propriétés transcendantes. L'analyse de conversation a ainsi su montrer le rôle joué par des détails contextualisants de l'oral, comme pauses, chevauchements, hésitations, allongements…, qui sont souvent ceux qu'une transcription ordinaire fait disparaître.

Ces conceptions ont des implications sur les processus de construction du sens. Les théories comparatives considèrent en effet plus ou moins implicitement que ce sont les mêmes choses qui se disent par oral et par écrit, et qu'il peut y avoir équivalence entre énoncés des deux ordres. Or, certes, en un sens très général, la langue trancende l'opposition de médium, et on peut à peu près tout dire dans les deux ordres, de même que l'on peut traduire de langue à langue. Cependant, les pratiques sociales concernant l'un ou l'autre ne sont pas indifférenciées, et ce ne sont pas tout à fait les mêmes choses qui se font par oral et par écrit, ce que l'on peut mesurer à la difficulté de rencontrer de façon écologique des énoncés équivalents dans les deux ordres.

3.1.4. Les enjeux du grand partage pour la sociolinguistique

Le grand partage est la thèse attribuée à l'ethnologue Goody par ses critiques (plutôt que la position même de Goody, qu'il a d'ailleurs nuancée dans les ouvrages postérieurs à *La raison graphique*). Si l'on revient maintenant au tableau 1 du premier chapitre, on voit l'enjeu de décider s'il faut ou non nommer l'ordre de variation associé au canal : une telle dénomination risque de conduire à réifier l'opposition, en une version rigide du grand partage.

Dans les hypothèses anthropologiques ou contextualistes, isoler ainsi les ordres sera regardé comme trop techniciste, et on rangera ces différences de canaux derrière la différence des genres, en faisant ainsi l'un des champs d'application du diaphasique (voir plus bas, et chapitre 6). Ces conceptions ouvrent sur des modèles de la communication qui, contrairement aux modèles traditionnels, dits « du code », insistent sur l'intervention de processus inférentiels et de la co-construction du sens par les participants.

3.2. L'écrit est-il plus complexe ?

Oral et écrit ont souvent été opposés selon l'axe du simple *vs* complexe, hypothèse qui épouse pour l'essentiel aussi bien le sens commun qu'une version stricte du modèle du grand partage. Si une telle thèse n'est pas sans soulever des problèmes, elle nous permettra de discuter quelques idées sur la langue.

3.2.1. Définir la complexité/simplicité

Différentes définitions de la complexité linguistique ont été envisagées, avec quelques différences entre plan phonique et plan grammatical : nombre, longueur et variété des formes, intégration dans un système de langue, degré de motivation et transparence de la relation forme-sens, degré d'imbrication syntaxique et types de subordonnées, types de phrases, nombre et sophistication des règles nécessaires à la production, facilité/difficulté de production/réception par les usagers, naturel *vs* soumission à la norme et à la rhétorique…

L'hypothèse de complexité court le risque de ne faire que refléter des présupposés idéologiques. Cependant, le fait même de la discuter incite à se demander quelle serait la clé d'une moindre complexité de l'oral, préjugé souvent admis sans discussion. Sans revenir sur les présupposés de l'idéologie du standard et leur critique, on peut faire état de deux hypothèses, l'une médiale et l'autre discursive. La première hypothèse part des conséquences d'observations matérielles : parler et écouter sont des activités qui se déroulent au même rythme, alors que écrire (même à la machine) est un processus beaucoup plus lent que lire. La conséquence sur les produits, c'est que le scripteur dispose de davantage de temps que le parleur. Cette thèse a toutefois l'inconvénient de caractériser oral et écrit en général, et de supposer la pensée pré-constituée à la formulation linguistique. Dans l'hypothèse alternative, la différence de complexité est une question de tradition discursive ou rhétorique, historiquement située, et propre à chaque culture, chaque langue, chaque communauté, chaque activité : elle débouche sur la notion de genre.

3.2.2. Outil d'analyse. Oral et écrit, deux types de complexité

Halliday (1985) met en cause les analyses donnant l'oral comme reflet appauvri de l'écrit, manquant de certaines propriétés (comme syntaxe plus pauvre et plus monotone, ou vocabulaire moins varié et moins étendu). Opposant oral et écrit en tant que produits, il travaille sur des énoncés authentiques oraux ou écrits, dont il construit une contrepartie écrite ou orale.

Sa définition de la complexité s'appuie sur la proportion de mots lexicaux (c'est-à-dire en inventaire ouvert) par rapport aux mots grammaticaux (en système fermé). Ce simple pourcentage (nombre de mots lexicaux par rapport au total des mots) ne suffit pas à établir une disparité forte entre les deux ordres. En s'appuyant sur la notion d' « index de densité lexicale » (nombre de mots lexicaux divisé par le nombre de propositions), Halliday produit un indice beaucoup plus performant.

La problématique de Halliday s'appuie sur la quantité d'information transmise et son mode de présentation. L'écrit produit généralement son apport d'information au moyen d'une accumulation de noms, qui possèdent une syntaxe particulière (adjectifs, relatives, compléments de noms...). D'où le caractère perçu comme très écrit des nominalisations, mal acceptées à l'oral, comme on l'a vu plus haut avec les exemples de (18) à (24), ou (38) à (41) : elles donnent un effet de produit figé, au contraire de l'oral qui favorise les processus organisés dans des propositions dont les liens sont préférentiellement de parataxe (lien implicite, apposition, paroles rapportées de façon directe ; coordination ou juxtaposition préférée à la subordination). Ceci aide aussi à comprendre pourquoi il est pénible d'écouter une conférence lue, même avec des procédés d'oralisation.

Halliday conclut, à contre-courant des idées reçues, qu'un énoncé oral est grammaticalement plus complexe que sa contrepartie écrite : c'est par la densité lexicale que se caractérise l'écrit, alors que l'oral est remarquable par l'intrication grammaticale.

Remarque 1 : Halliday travaille sur l'anglais, mais ses commentaires valent pour le français, comme le montre un exemple comme (49). La présence de tels énoncés dans tout discours de type explicatif attire l'attention sur les genres discursifs :

(49) c'est vrai que, pour des personnes qui passent épisodiquement dans ce service d'information, c'est pas qu'elles ne veulent pas le donner (puisque on est tenu de le donner hein après tout) c'est que, n'ayant pas un suivi euh dans ce service-là euh, ça pourrait pénaliser le demandeur d'avoir à redemander la même personne, alors qu'elle n'est pas disponible dans ce service (Blanche-Benveniste 1997b, p. 59)

Remarque 2 : La méthode suivie par Halliday pose problème parce que le parallèle oral/écrit est construit de toutes pièces, et la relation de paraphrase est affirmée sans autre démonstration. Toutefois, il faut reconnaître qu'il lui était difficile de procéder autrement, si l'on admet que peu de circonstances écologiques offrent une contre-partie orale à un discours écrit ou l'inverse, les deux étant liés à leurs conditions de production spécifiques.

3.3. Oral/écrit et les genres

Les hypothèses sur la complexité conduisent à s'intéresser aux caractéristiques formelles concernant les genres, ou traditions discursives.

3.3.1. Étude de cas. L'intégration dans deux genres oraux

Parmi les travaux comparant la composition discursive d'énoncés oraux et écrits, Koch (1995) a proposé un modèle pour le français oral, qu'il applique à une comparaison entre une conversation à bâtons rompus de dîner entre amis et un cours universitaire magistral (distance communicative entre les participants réduite *vs* forte). Il travaille sur les relations entre deux types de continuum : le continuum conceptionnel entre oral en tant que proximité communicative et écrit en tant que distance, et le continuum syntaxique entre juxtaposition et intégration des séquences.

Il s'avère que la relation n'est pas de simple recouvrement. La conversation de dîner n'est pas dépourvue de structures relevant de l'intégration, mais les modes en diffèrent, à la fois par le degré d'enchâssement (rarement au-delà de deux degrés pour le dîner, jusqu'à quatre et même une fois cinq dans le cours), et par le fonctionnement : dans le dîner, la plupart de ces structures complexes se développent sur la droite, comme en (50), de façon presque linéaire :

(50) le prof prenait la parole pour dire qu'il était ici pour témoigner que… (p. 27)

Remarque : Ce type de raisonnement est à manipuler avec prudence, pour éviter de durcir en propriétés de l'oral les tendances relevant de genres, selon que le discours est plus ou moins spontané ou préparé. On y reviendra au chapitre 6.

3.3.2. Outil d'analyse. L'opposition oral/écrit et les genres

Biber (1988) examine l'ensemble des traits qui ont pu être retenus dans des travaux de linguistes comme permettant de différencier l'oral de l'écrit, et les met à l'épreuve d'un très grand corpus (des extraits de « grands corpus » de l'anglais), afin de faire émerger des « constellations » de dimensions (traits qui apparaissent ensemble ou au contraire s'évitent). Il établit qu'il est impossible de déterminer au moyen de ces traits quels corpus sont oraux ou écrits. D'où il conclut à une prééminence des genres, qu'il appelle « registres » sur la différence médiale entre oral et écrit. Ainsi, un récit oral ressemblera davantage à un récit écrit qu'à une conversation à bâtons rompus, et le récit écrit au récit oral qu'à un texte administratif.

Remarque : Les hypothèses de la complexité constituent des tentations récurrentes, qui ont aussi été appliquées à d'autres couples langagiers, comme langue populaire *vs* standard, pidgins et créoles *vs* langue européenne-source, langue de l'enfant *vs* langue de l'adulte, genres discursifs comparés (comme récit *vs* argumentation). Ce qui risque de se profiler ainsi à l'horizon, ce sont les couples nature/culture, primitif/civilisé, *etc.*

Conclusion

Le français, qui dans ses usages actuels continue à survaloriser l'écrit, se situe à un pôle extrême parmi les cultures de littératie. Ce qui impose, peut-être encore plus que pour d'autres langues, d'étudier comment les caractéristiques identifiées dans l'oral et dans l'écrit sont surdéterminées par les contextes où les locuteurs en font usage. L'étude minutieuse de la dichotomie entre les deux ordres conduit avant tout à éviter de la réifier, grâce à des conceptions qui tiennent compte de la contextualisation. Ainsi, à partir de réflexions sur le respect des données, sur l'observation de l'oral en contexte et sur la transcription, mais aussi en explorant l'incidence de perspectives descriptives et théoriques comme le rapport entre forme et fonction, on entrevoit des enjeux de cognition souvent encore sous-évalués en sociolinguistique, dans les sciences du langage, et dans l'ensemble des sciences humaines et sociales.

Pour aller plus loin

1. Sur le terrain et l'observation, Mondada 1998a, Cameron 1998, Johnstone 2000 ; du côté des sciences sociales, Beaud & Weber 1998, et la postface de Bourdieu 1993. Pour la méthodologie sociolinguistique, tous les écrits de Labov, Gumperz, ainsi que Milroy & Gordon 2003. Pour la transcription, Mondada 2000, Gülich & Mondada 2001 (article en français) ; Blanche-Benveniste & Jeanjean 1986, Bilger *et al.* 1997 pour les difficultés concrètes de la transcription orthographique, ainsi que Gadet 2004a pour des réflexions sur la transcription en relations avec les sciences sociales.

2. Pour l'opposition oral/écrit d'un point de vue linguistique : Blanche-Benveniste & Jeanjean 1986, Blanche-Benveniste 1997b ; Koch & Oesterreicher 2001 pour des réflexions générales revenant sur le modèle de Coseriu ; Chafe 1982 sur les incidences de la matérialité de chaque ordre, en particulier pour l'intégration et l'engagement. Jahandarie 1999 pour les traits par lesquels l'opposition a été formulée chez les linguistes et dans les sciences sociales, Béguelin 1998 pour les linguistes. Bilger 1999 sur l'oral spontané. Pour l'influence réciproque de l'oral et de l'écrit, Armstrong 2001, Sabio 2000 pour les graphies d'enfants, Cappeau 2004 et Cappeau & Roubaud 2005 pour l'école. Olson 1998, et Jaffré 2006 sur la réflexion métalinguistique que permet l'accès à la littératie

3. Goody 1979 pour une réflexion sémiotique, cognitive et ethnologique sur oralité et littératie, et l'idée de grand partage. Street 1995 pour la thèse contextualiste refusant de réifier la différence oral/écrit, parlant de littératies au pluriel. Koch 1993 sur les effets de la littératie sur la culture orale. Sperber 2002 sur la disymétrie, et Sperber & Wilson 1989 sur les modèles inférentiels du sens. Ferguson & de Bose 1977 pour une définition linguistique de la complexité, notion qui est plus souvent prise comme une évidence que problématisée.

BEGUELIN M.-J., 1998, « Le rapport écrit-oral. Tendances dissimilatrices, tendances assimilatrices », *Cahiers de linguistique française* n° 20, 229-53.

BIBER D., 1988, *Variation across speech and writing*, Cambridge University Press.

BILGER M. (dir), 1999, *Revue française de linguistique appliquée* Vol IV-2, *L'oral spontané*.

BILGER M., M. BLASCO, P. CAPPEAU, B. PALLAUD, F. SABIO & M.-J. SAVELLI, 1997, « Transcriptions de l'oral et interprétation ; illustration de quelques difficultés », *Recherches sur le français parlé* 14, 57-86.

BOURDIEU P., 1993, *La misère du monde*, Paris, Le Seuil.

CAMERON D., 1998, « Problems of empowerment in linguistic research », *Cahiers de l'ILSL* 10, Université de Lausanne, 23-38.

CAPPEAU P., 2004, « L'articulation oral/écrit en langue », *Comment enseigner l'oral à l'école primaire*, C. Garcia-Debanc & S. Plane (Dir), Paris, Hatier, 117-36.

CAPPEAU P. & M.-N. ROUBAUD, 2005, *Enseigner les outils de la langue avec des productions d'élèves*, Paris, Bordas Pédagogie.

CHAFE W., 1982, « Integration and Involvement in Speaking, Writing and Oral Literature », *in* D. Tannen Ed, *Spoken and Written Language*, New York, Ablex P.C., 35-53.

FERGUSON C. & C. DE BOSE, 1977, « Simplified Registers, Broken Languages and Pidginization », *in* Valdman ed., *Pidgin and Creole Linguistics*, Bloomington, Indiana University Press, 99-125.

GADET F., 2004a, « Les rapports entre sociologues et linguistes vus à travers la transcription », *Mélanges en l'honneur de Nicole Gueunier*, Presses de l'Université François Rabelais à Tours, 257-71.

GOODY J., 1979, *La raison graphique, la domestication de la pensée sauvage*, Paris, Ed. de Minuit.

GUMPERZ J., 1982-1989, *Sociolinguistique interactionnelle. Une approche interprétative*, Paris, l'Harmattan.

HALLIDAY M., 1985, *Spoken and Written Language*, Oxford University Press.

JAFFRE J.-P., 2006, « La litéracie : histoire d'un mot, effet d'un concept », *in* C. Barré de Miniac, C. Brissaud, & M. Rispail (dir.), *La littéracie. Conceptions théoriques et pratiques d'enseignement de la lecture-écriture*, Paris, L'Harmattan.

JAHANDARIE K., 1999, *Spoken and Written Discourse : a Multidisciplinary Perspective*, Stamford, Connecticut, Ablex Publ. Corp.

JOHNSTONE B., 2000, *Qualitative Methods in Sociolinguistics*, New York, Oxford University Press.

KOCH P., 1993, « Oralité médiale et conceptionnelle dans les cultures écrites » *in* C. Pontecorvo & C. Blanche-Benveniste (Eds), *Proceedings of the workshop on Orality vs Literacy, Methods and Data*, ESF, 225-48.

KOCH P., 1995, « Subordination, intégration syntaxique et "oralité" », *Études romanes* 34, 13-42.

MONDADA L., 1998a, « Technologies et interactions dans la fabrication du terrain du linguiste », *Cahiers de l'ILSL* 10, Université de Lausanne, 39-68.

MONDADA L., 2000, « Les effets théoriques des pratiques de transcription », *LINX* 42, 131-49.

OLSON D., 1998, *L'univers de l'écrit, comment la culture écrite donne forme à la pensée*, Paris, Retz.

SABIO F., 2000, « Les difficultés de la notion de mot : l'exemple des liaisons graphiques dans les textes d'enfants », *LINX* 42, 119-30.

SCHLIEBEN-LANGE B., 1998, « Les hypercorrectismes de la scripturalité », *Cahiers de linguistique française* n° 20, 255-73.

SPERBER D., 2002, « L'avenir de l'écriture », *Colloque text-e*, BPI Georges Pompidou.

STREET B., 1995, *Social literacies*, London & New York, Longman.

VIGNEAULT-ROUAYRENC C., 1991, « L'oral dans l'écrit : histoire(s) d'E », *Langue française* 89, 20-34.

Chapitre III
LE MATÉRIAU VARIATIONNEL

En cherchant à déplacer la démarche traditionnelle qui décrit la langue hors de toute sensibilité sociale, nous tenterons ici de répertorier les lieux linguistiques en jeu dans la variation en français (phénomènes de langue parlée ordinaire, et formes localement ou socialement évaluées). Ils s'avèrent assez peu nombreux, le matériau variationnel d'une langue, zones de variation et de changement, où tout ne saurait varier, étant nécessairement limité.

Nous nous interrogerons ensuite sur les possibilités de généraliser, ce qui nous conduira à évoquer des hypothèses fonctionnalistes, sans pour autant y chercher un principe d'explication unique. Nous réfléchirons enfin sur les caractéristiques des changements.

1. Les faits de variation linguistique

Les phénomènes variables les plus saillants relèvent du phonique (surtout prosodie) et du lexical, et dans une moindre mesure de la morphologie et de la syntaxe. Dans la difficulté qu'il y a à réfléchir hors de la prégnance du standard et de l'écrit (lisible par exemple par des dénominations orientées comme *réduction*), nous adopterons, quand cela est utile, un point de vue du non-standard du nord de la France.

1.1. Les lieux de variation

Pour décrire les zones où se manifeste de la variation, une grande difficulté sera d'éviter les formulations en catégories normatives.

1.1.1. Variation et supra-segmental

Dans le phonique, c'est le supra-segmental qui s'avère le plus saillant : place de l'accent dans le groupe de souffle, débit, irrégularité rythmique, variabilité de la courbe intonative.

Un énoncé en parataxe, comme (1), d'expression orale ordinaire, met en jeu une intonation spécifique. L'intonation est aussi susceptible de désambiguïser une séquence comme (2) :

(1) il dit qu'il part > / je suis d'accord / il part pas > / qu'est-ce que tu veux que je fasse <
(1')
(2) moi/j'ai faim/je mange
(2a) / / (= chaque fois que)
(2b) / / (= actuellement)

Les pauses peuvent être, ou non, remplies par des « ponctuants », illustrés en (3), caractéristiques des discours spontanés. Ils ne connaissent aucun équivalent à l'écrit (sauf dans des écrits de proximité comme (4)), au point que c'est le premier aspect que les rédacteurs gomment dans les transcriptions destinées au grand public, au risque d'effacer leur rôle de structuration :

(3) bon ben tout de suite y a une grosse différence
(4) bon ben j'y vais alors (chat sur internet)

La courbe intonative joue toujours un grand rôle : écarts mélodiques, direction de la pente, accents d'intensité, accentuation sur la pénultième (avant-dernière syllabe de groupe), prononcée de façon longue et intense ((5) et (6)) :

(5) ven**dre**:di
(6) tu **t'rends**: compte

1.1.2. Variation phonique segmentale

La variabilité segmentale concerne d'abord le *e* muet, qui peut être prononcé ou non, à la fois en fonction de sa position et selon l'usage. Il donne également lieu à des variations, sous la forme du *e* parasite, du *e* inversé, ou du *e* préposal (exemples en (7)). Les autres lieux de variation sont les voyelles intermédiaires (voir (8)), ou les consonnes qui peuvent tomber (voir les exemples de (9)).

Les autres phénomènes phoniques concernent les sons en discours suivi, parfois dits « facilités de prononciation » : simplification de groupes consonantiques, comme en (10), dont se rapproche la faiblesse d'articulation de certaines consonnes ou la réduction de sons ; assimilation, élision de voyelles, harmonie vocalique (exemples en (11) et (12)) :

(7) [parkədeprɛ̃s] Parc des Princes ; les mecs eud'la rue ; bonjoureu
(8) [esprɛ]
(9) pro(b)lème ; c'est (v)rai que ; j'en veux quat(re) ; quat(re) cents ; quat(re) enfants ; [syia] (celui-là)…
(10) [ʃpøpa] ; [ʃpa] ou [ʃpo] pour je sais pas ; [farktariv] pour *il va falloir que tu arrives*
(11) t(u) as vu ([tavy]) ; [sɛr] pour *c'est-à-dire*
(12) [ilaete] *vs* [ilɛtɛ] (il a été/il était) ; aujourd'hui [uʒurdyi] ou [oʒɔrdyi]

1.1.3. La liaison, un phénomène privilégié

La liaison apparaît comme un phénomène intéressant, du fait de son lien à la forme écrite de la langue. Les sociolinguistes, qui s'intéressent aux formes attestées, ne classeront pas les liaisons en obligatoires, interdites et facultatives, catégories normatives, mais useront de préférence de catégories descriptives : liaisons absentes, variables et constantes. Parmi les liaisons variables, une hiérarchie de rareté oppose (13), liaison très fréquente, à (14), liaison rare sur un infinitif du premier groupe :

(13) dans z une minute
(14) s'arrêter r aujourd'hui

L'intérêt sociolinguistique de la liaison se manifeste aussi dans les « fausses liaisons », où est souvent en jeu l'hypercorrection : (15), où se voit la prégnance de la formule (15') ; (16), où le parallèle conduit à une régularisation ; ou (17), où la liaison indique un pluriel autrement non audible, et peut-être la prégnance de formes comme (18) :

(15) si vous laissez r un message
(15') veuillez laisser r un message
(16) les inscrits et les non z inscrits
(17) furieux d'avoir z été poursuivis
(18) ils z ont été poursuivis

Nous reviendrons plus bas sur un phénomène de changement en cours, la liaison sans enchaînement (voir 3.2.3.).

1.1.4. Variation en morphologie et syntaxe de la phrase simple

La variation en morphologie et en syntaxe est moins saillante que celle du phonique, mais c'est là que se font jour les stéréotypes les plus forts concernant les « fautes de langue », comme (19) ou (20), qui concernent les prépositions et les détachements :

(19) aller au docteur
(20) Jean / son vélo / y a les freins qui déconnent

En morphologie, les points de variabilité concernent surtout la morphologie flexionnelle dans les systèmes de marques : pour le groupe verbal, particularités de conjugaison, réduction du nombre de temps, régularisation des paradigmes verbaux (*solutionner* vs *résoudre*) et nominaux (*bonhommes* vs *bonshommes*). Les formes verbales périphrastiques sont impliquées dans des changements, dont (21) et (22) sont deux exemples diatopiques (la localisation n'est qu'indicative, car ils existent en différents points de français d'Amérique). Le groupe nominal est concerné à travers le genre, le nombre, les accords ou les déterminants, ainsi que la forme des pronoms :

(21) Irène, ça c'est la voisine que la fille sort de se marier (= vient de, Acadie)
(22) t'es ki vey (= tu regardes, aspect progressif, français des Îles Vierges)

Dans la phrase simple, les phénomènes de variation concernent la négation (exemples de (23) à (26) : absence de *ne*, tellement fréquente à l'oral qu'elle n'est plus sentie comme stigmatisante ; *jamais* comme renforcement de négation ; doubles négations, stigmatisées ; combinaison quantificateur/négation) ; les prépositions, saillantes jusqu'au stéréotype, et les constructions verbales ; les différentes formes d'interrogation directe (voir chapitre 6), dont beaucoup sont stigmatisées ((29) à (34)) :

(23) je l'ai pas mis là
(24) j'ai jamais dit ça
(25) il a pas été lu par personne
(26) tous les ordinateurs sont pas beaux (= aucun)
(27) la fille à mon frère
(28) je cherche après Titine
(29) qu'est-ce que tu vas porter ce sac < on était d'accord que tu y touchais pas

(30) tu veux ti <
(31) je voudrais un sandwich / vous avez à quoi <
(32) des tranches comment / de courgettes / tu veux < en largeur ou en longueur <
(33) qu'est-ce qui t'arrangerait de venir <
(34) c'est comment déjà votre nom <

Des phénomènes très saillants (véritables stéréotypes d'oral ordinaire) concernent l'ordre des mots et la modification de la structure en SVO dans les détachements, inversions, dislocations avec ou sans reprise : dans le premier cas, par un clitique ou par *ça* – exemples de (35) à (37)), ou avec des présentatifs (ex. (38)). L'absence de reprise est la caractéristique essentielle des « structures binaires », avec intonation ouvrante-fermante ((39) à (41)) :

(35) jamais comme ça / j'ai eu mal
(36) les mômes qui pleurent tout le temps / je les égorgerais volontiers
(37) la musique trop fort dans les oreilles / j'aime pas trop ça
(38) ça fait déjà trois bus que je rate
(39) les épinards < / bof >
(40) moi < / l'armée < / j'ai déjà donné >
(41) dans le magasin où je travaille < / les échanges < / t'as pas besoin de facture >

Ces exemples mettent fréquemment en cause des pronoms, dont la forme montre la fonction (d'où les hypothèses de « l'approche pronominale ») : on retrouvera plus loin les différents phénomènes ici en cause.

1.1.5. Variation et syntaxe de la phrase complexe

La variabilité dans la phrase complexe concerne l'enchaînement des propositions, opposant avant tout la parataxe (ou absence apparente de lien grammatical), à l'hypotaxe (attachements et différents types de subordination). La subordination la plus fréquente est en *que*, avec deux tendances apparemment contradictoires : une extension de son usage ((42) et (43)), et sa possible omission, comme en (44) et (45). On note aussi une tendance à faire suivre de *que* les pronoms relatifs ou les interrogatifs (exemples (46) et (47)) ; *que* entre aussi dans la composition de conjonctions ou locutions conjonctives, toutes plus ou moins stigmatisées (*à cause que, des fois que, histoire que, malgré que, même que, surtout que, pour pas que* – exemples de (48) à (51)) :

(42) mes parents je m'en fous je fais attention un peu mais pas trop / que le prof je fais gaffe à ce que je dis
(43) il est venu que j'étais malade
(44) vous voyez pas c'est les femmes < {à un homme qui se trompe de vestiaire}
(45) faut pas croire les élèves ils viennent avec des calibres en cours hein / ils viennent tranquille
(46) avec sa fille à l'âge où qu'elle est / elle risque pas de faire grand-chose
(47) et quand que ce sera mon tour <
(48) même que je suis vieille / j'en voudrais pas
(49) il a pas voulu venir à cause que ça lui faisait trop loin
(50) elle reçoit des gouttes de pluie / elle me regarde de travers / tu sais / comme si que c'était moi
(51) j'ai fait ce qu'il fallait pour pas qu'il le sache

D'autres subordinations sont introduits par *comme quoi* (*que*), pouvant suivre un verbe ou un nom ((52) et (53)). Les interrogations indirectes peuvent suivre l'ordre des mots de la forme directe (exemples (54) et (55)) ; et les « relatives de français populaire », à côté d'un usage très fortement dominant de *qui* et de *que*, montrent trois types différents, dont le dernier constitue une forme d'hypercorrection (exemples de (56) à (58)) :

(52) il nous a montré comme quoi le volley c'était un sport genre marrant pas complexé
(53) il nous a donné des arguments comme quoi il fallait pas s'en occuper
(54) ça dépend c'est quoi
(55) je sais pas ça va finir à quelle heure
(56) les gens qu'on les remet pas à leur place / ils se prennent des ailes
(57) si tu mets des trucs que tu as pas pigé l'origine / ça va pas aller
(58) je vais vous présenter le journal X dans lequel on y trouve plusieurs reportages

1.1.6. Variabilité dans le lexique et le discours

Enfin, la variation sociale émerge dans le lexique, le français ayant la particularité de disposer d'un lexique populaire qui redouble souvent le lexique ordinaire (ex. *argent* et *fric*), auquel peuvent aussi s'ajouter des termes d'argot (*pèze*, *pognon*, *flouze*), codé ou non. La créativité formelle est particulièrement développée dans le non-standard, avec les dérivations, les suffixations parasitaires (comme *piquouze* à partir de *piqûre*), et différents types de composition, des locutions (comme *chaque fois qu'il lui tombe un œil*) et le recours à la phraséologie. La fréquence de ponctuants (aussi dits marqueurs de structuration, appuis du discours) est davantage un phénomène de langue parlée ordinaire que socialement marqué.

C'est davantage du phonique et du grammatical que nous parlerons dans ce chapitre, le lexique et le discours étant abordés au chapitre 5, à propos des vernaculaires.

1.2. L'extension de la variabilité dans une langue

Le matériau variationnel de toute langue est limité, ce qui est imposé par l'organisation en système, et par la nécessité d'intercompréhension : la plupart des phénomènes phoniques et grammaticaux ne sont pas variables. Parmi les zones variables, toutes ne revêtent pas la même saillance, et aucune zone structurelle n'est prédestinée à un investissement sociolinguistique : l'évaluation sociale peut investir ou ignorer une zone linguistiquement variable (comme en (59), où la variabilité n'est pas investie) :

(59) est-ce que de tourner avec Luc Besson ça fait partie de vos objectifs <

(59') est-ce que tourner

La variabilité apparaît à un tel point comme une constante de la langue parlée qu'elle peut en être regardée comme une propriété, qui peut émerger constamment :

(60) les meufs des fois y'en a qu'**ils** le prennent bien et [ɛ] rigolent avec nous quoi / mais d'autres ou elles disent rien ou [**a**skas] (= **elles** se cassent)

Cet exemple, attesté, demeure toutefois exceptionnel, car il est rare de rencontrer ainsi regroupées plusieurs réalisations d'une forme (ici, neutralisation du genre, élision de [l], forme pleine, modification de la voyelle + omission de la consonne).

Toutefois, l'ampleur de la variation est souvent surestimée, l'oral étant mal reconnu pour ce qu'il est, en particulier à travers deux de ses fonctionnements. D'une part, il ne s'organise ni en phrases ni en mots, mais plutôt en unités communicatives, ce qui peut faire naître l'illusion d'énoncés oraux inachevés ou déviants, s'ils sont jaugés à l'aune de l'écrit. D'autre part, sa cohérence est pluri-sémiologique, l'enchaînement pouvant intervenir sur du non-verbal (regard, geste, mimique, action), comme en (61) où *par contre* n'enchaîne pas sur du verbal, mais sur une activité :

(61) {lors d'une transaction commerciale, une fois la marchandise remise et payée}
Commerçant : par contre / j'ai pas de sachet à vous donner

Les modalités orales d'argumentation offrent ainsi des latitudes plus larges qu'à l'écrit, par exemple avec des effets de symétrie, de parenthésage ou de listes, qui épousent des schémas rythmiques parallèles ou contrastés :

(62) simplement le fait de l'avoir fait me donne une certaine expertise / le fait d'en être parti me donne un certain recul / et le fait d'avoir fait de la radio avant et d'en refaire aujourd'hui sur RTL me donne un moyen de comparaison
(63) on avait plus de voiture / et donc pas de voiture < tu peux plus bosser quoi

Le risque serait ici de surinterpréter, en donnant comme socialement signifiant ce qui n'est typique que de l'oral.

1.3. L'extension de la variabilité diatopique

La variabilité diatopique demeure d'amplitude limitée en France, sauf pour ce qui concerne l'opposition phonique entre moitié nord (Alsace mise à part, accent tout à fait spécifique et d'emblée reconnaissable) et moitié sud de la France ; et la morpho-syntaxe apparaît moins concernée que le phonique.

Cependant, les français hors de France conduisent à envisager des phénomènes de variation de façon plus large, en particulier pour ce qui concerne l'opposition entre traits archaïques et traits innovateurs. Les archaïsmes se trouvent particulièrement dans les zones où la langue, minoritaire, ne se transmettait guère, jusqu'à une date récente, que par oral, comme au Québec ou en Acadie, et ils sont amplifiés par les contacts de langues (compte tenu de ce que, partout sauf en France, le français est en contact défavorable). Ce ne sont effectivement pas tout à fait les mêmes phénomènes qui s'avèrent en jeu dans le diatopique et dans le diastratique.

On est loin pour le moment d'avoir une connaissance extensive de ces phénomènes à travers le monde, mais la théorie du « français zéro » (Chaudenson) se donne pour objectif de faire état de « l'ensemble des variantes du français », compte tenu de l'existence de zones invariables, et d'aires de variabilité affectées par les changements. L'orientation de cet ouvrage ne permettra cependant pas un développement plus étendu du diatopique.

2. Opposition des variations phonique et grammaticale

Comme les points de variabilité ne sont pas totalement aléatoires, les caractéristiques phoniques et grammaticales des variantes permettent des généralisations que nous confronterons à des hypothèses fonctionnalistes, qui supposent que l'usage de la langue peut avoir des effets sur sa forme. Tenant compte des pratiques, des évaluations et des stratégies des locuteurs, elles s'avèrent en effet bien adaptées à la quête sociolinguistique. Nous insisterons sur les aspects syntaxiques, en général moins étudiés que les aspects phoniques.

2.1. Réflexions sur la variation phonique

La variation phonique est très saillante. Beaucoup de phénomènes ayant une base graphiquement inscrite, donc visible et lisible (au moins le *e* muet, la liaison, les simplifications consonantiques), le matériau phonique variationnel français peut en grande partie être caractérisé en termes de présence/absence, les variantes de la proximité étant alors les plus éloignées de la forme écrite. Cette tendancielle transparence de la relation oral/écrit, caractéristique du français, renforce d'ailleurs le préjugé selon lequel une « bonne » prononciation (« bien parler ») est à la portée de tout locuteur, et entraîne des jugements dépréciatifs sur les prononciations non standard. Ce sont ces mêmes phénomènes qui ont permis des interprétations phoniques en termes de processus de simplification ou de relâchement, dont la plus fréquente concerne le volume de substance phonique : entre deux formes de même signification, dont l'une comporte davantage de substance que l'autre ([katr] *vs* [kat], par exemple), il y a de fortes chances que la première soit la plus formelle.

C'est aussi comme des simplifications qu'ont souvent été jugées les « facilités de prononciation » (réductions, assimilations, harmonies). On peut distinguer entre processus « naturels », tendanciellement à l'œuvre dans la façon de parler de tous les locuteurs, mais inhibés par les locuteurs de parlers soutenus qui s'efforcent d'en endiguer les effets, et choix de prestige, comme les liaisons rares. Si d'un point de vue social, les deux types de phénomènes relèvent de la « distinction », les choix de prestige ne supposent pas la même attitude de la part du locuteur : éviter un trait stigmatisé *vs* sélectionner un trait valorisé.

Le phonique incite donc à opposer :

1) les phénomènes arbitraires (comme la valeur des voyelles) ;

2) les alternances où l'opposition phonie/graphie prend la forme de présence/absence, avec valorisation de la présence (consonnes omises, liaisons courantes) ;

3) les facilités de prononciation, comme l'harmonie dans *surtout* prononcé [surtu], ou les assimilations (dont les BD donnent de bons exemples avec des graphies comme *chpo* pour *je sais pas*) ;

4) les choix positifs (le fait que l'exemple récurrent en soit les liaisons recherchées invite à se demander si le phonique peut à lui seul offrir un tel choix de prestige).

2.2. Réflexions sur la variation grammaticale

Plutôt que d'usages régis par des règles impératives, il faut ici parler de tendances et de préférences. Comme pour le phonique, on peut hiérarchiser les phénomènes :

1) alternance locale de présence/absence, comme *ne*, ou *il* dans *(il) faut* (items omissibles) ;

2) alternance entre deux ou plus éléments autres que zéro, ou concurrence de formes (*être* et *avoir* pour conjuguer *descendre* ou *réapparaître* ; *on* et *nous*) ;

3) concurrence de structures (adjectif pré- ou post-posé, interrogatives, ordre des mots…).

Comme pour le phonique, on peut ajouter un 4), correspondant à un choix positif qui marque un discours comme recherché voire écrit, comme (64), extrait d'un discours politique public :

(64) je serais effrayé si la campagne se concentrait sur l'insécurité et le rapport des Français à leurs peurs / fussent-elles légitimes

Sur le modèle de la phonologie, une synonymie entre formes standard et non standard est souvent posée comme une évidence. Elle apparaît effectivement claire au niveau 1 ; mais ce n'est plus le cas à partir du niveau 2 (il est par exemple facile de montrer une différence de sens entre futur simple et futur périphrastique, comme en (65)). Au niveau 3, la similitude/différence de signification ou d'apport d'information s'avère un outil sémantique trop grossier, comme le montrent l'ordre des mots et les détachements. En (66), qu'il est peu satisfaisant de supposer synonyme de (66a), la différence de saillance d'information est liée à la co-présence des interlocuteurs, à des connaissances partagées sur le monde, et à des processus inférenciels :

(65) je vais avoir un enfant
(65') j'aurai un enfant
(66) Jacqueline / sa mère / la bonne / elle la lui refile
(66a) la mère de Jacqueline lui refile sa bonne

L'énoncé pose d'abord des objets de discours en une série de syntagmes nominaux, en commençant par ceux qui sont partagés par les deux interlocuteurs (Jacqueline est une amie commune), et présente ensuite ce qui relie lesdits objets, selon une structure thème-commentaire comparable aux énoncés binaires, qui suppose l'implicite de connaissances sur le monde, car (66b) ne serait pas interprétable (en tout cas hors contexte). Les exemples oraux d'un tel schéma ne sont pas rares (ex. (67) à (71)), de même que des énoncés écrits de proximité, comme (72) :

(66b) Jacqueline / Michèle / Nicole / elle la lui refile
(67) la tarte / le four / elle rentre pas dedans
(68) Michèle / sa sœur / eh ben le copain de sa sœur / il est bassiste dans un groupe rock
(69) la gare / la barrière/quand le train arrive / je sais bien que c'est interdit mais je cours pas / je saute par dessus
(70) ma sœur / y a son fourneau / quand on veut allumer / tu as rien à faire / y a un truc prévu pour

(71) Betty / son mari / les enfants c'est des Chabert (interprétation en contexte : il s'agit des enfants de Betty et de son mari)
(72) Une chambre sans douche, en plein mois de juin, avec cette chaleur, non merci (courriel entre proches)

Sans aller jusqu'à donner ce mode de structuration comme en soi dialogique, il est probablement plus facile d'y insérer des incises, comme en (68a), ou des interruptions comme en (68b), que dans la structure plus compacte (68c) :

(68a) Michèle [tu sais bien < cette fille qu'on avait rencontrée là-bas] sa sœur [une drôle de fille d'ailleurs]…
(68b) Michèle [qu'est-ce qu'elle a encore fait Michèle <] sa sœur [je me souviens bien de sa sœur] eh ben le copain de sa sœur [je savais pas qu'elle avait un copain]…
(68c) le copain de la sœur de Michèle est bassiste dans un groupe rock

Les registres de la proximité, appuyés sur le suprasegmental et avant tout l'intonation, manifestent davantage de dépendance au contexte, avec une tendance aux significations implicites (concision, parataxe, ellipses). Les registres de la distance, au contraire, s'appuient sur l'explicite et les ressources de la syntaxe segmentale, ce qui les rapproche des requis de l'écrit. Ainsi, parmi les relatives, on peut opposer les ressources syntaxiques de (73) ou (74) aux ressources discursives de (75) ou (76), difficilement interprétable sans l'arrière-fond de la co-activité des interlocuteurs, tous deux tournés vers la télévision qu'ils sont en train de régler :

(73) regarde donc le tiroir où tu le mets d'habitude
(74) c'est vraiment la seule prof qu'on peut se confier à elle
(75) elle me coûte cher ma salle de bain / que je me sers pas d'ailleurs
(76) la cinq / c'est la seule qu'ils ont écrit (ex. (31) du chap 2)

Ainsi, le partage essentiel, du point de vue du fonctionnement de langue, ne recoupe pas la distinction entre standard et non-standard, ce qui confirme encore une fois à quel point le principe de définition du standard n'est pas linguistique : sa construction s'empare de formes sélectionnées sur base sociale, non dans une logique linguistique. La vraie ligne de partage passe entre énoncés indifférents à l'interaction et énoncés sensibles à l'ajustement entre protagonistes.

2.3. Arguments fonctionnalistes

À un certain niveau de généralité, il y a, malgré les différences, des principes communs au phonique et au grammatical. Ils jouent par le rôle des relations sociales entre interactants : des attendus partagés et des connaissances du monde communes permettent l'économie de substance phonique, ou le recours à l'implicite grammatical.

2.3.1. Outil d'analyse. Variation et relâchement

Kroch (1978) cherche à expliquer les mécanismes sous-jacents à la variation phonique de dialectes sociaux. Il oppose les dialectes de prestige aux dialectes ordinaires, par la résistance au conditionnement phonétique. La cause de la différenciation phonologique stratifiée serait ainsi à chercher non dans des facteurs linguistiques, mais dans les évaluations et les jugements des locuteurs, avec un effet en retour sur leurs façons de parler.

En effet, les groupes dominants se distinguent symboliquement de façon positive, avec des styles élaborés et l'emprunt à des groupes externes prestigieux ; et, pour le phonique, de façon négative, en inhibant des processus « naturels » de relâchement : ce ne sont donc pas les couches populaires qui relâchent, mais les locuteurs favorisés qui inhibent le relâchement. Les dialectes populaires apparaissent ainsi plus soumis au conditionnement phonétique que les dialectes de prestige. Une motivation idéologique serait à la base de la différenciation des dialectes sociaux, les locuteurs de dialectes dominants trouvant un surplus de distinction à travers une dépense accrue d'énergie. Les motivations de statut social joueraient ainsi un rôle dans le maintien des dialectes de prestige, ce qui conduit à renverser l'idée reçue de paresse articulatoire des uns en celle de quête de distinction de la part des autres.

> **Remarque :** On voit le rapport entre l'analyse en termes de relâchement, ou plutôt de suspension de la tension, et les notions de marché linguistique et de distinction chez Bourdieu (voir chapitre 4).

2.3.2. Outil d'analyse. Les « besoins » des locuteurs

Rares sont les grammairiens qui cherchent à interpréter le mécanisme des fautes. C'est pourtant ce qu'a fait Frei (1929), qui veut comprendre les tendances linguistiques d'énoncés regardés comme fautifs. Partant du postulat que « l'on ne fait pas des fautes pour le plaisir de faire des fautes » (p. 19), il va regarder les stratégies des locuteurs comme l'emportant sur l'auto-régulation du système linguistique. Il avance ainsi la notion de « besoin linguistique », qui reflète le contexte psychologisant de son époque. Pour lui, la langue en usage obéit à des besoins fondamentaux, ou « constantes du langage » (assimilation, clarté, brièveté, invariabilité, expressivité), que le recours à une forme prônée par la norme ne satisfait pas toujours.

En examinant d'un point de vue fonctionnel des énoncés fautifs, il cherche à établir quel besoin a pu présider à leur production : la faute apparaît alors comme une réparation d'un déficit structurel de la langue et, en tant que « français avancé », elle peut préfigurer le français de demain. Ainsi, (77) répondrait au besoin de clarté, (78) au besoin de brièveté ou d'économie, (79) au besoin d'expressivité ; quant à (80) – (82), la série *qu'il, qu'elle, que ça* constituerait une hiérarchie dans le degré d'avancé :

(77) ci-joint un timbre pour vous avoir la bonté de répondre (p. 94)
(78) il a dit i viendrait (p. 123)
(79) tu vas voir çque j'te vais lui passer (sic, p. 246)
(80) qu'est-ce qu'il vous arrive (p. 189)
(81) elle est là qu'elle attend (p. 189)
(82) une chose que sa me rend le cafard (*sic*, p. 189)

Remarque : Malgré les attaches psychologiques voire biologiques des besoins chez Frei, et le risque de circularité (il y a un besoin parce que le locuteur cherche à le satisfaire ou à le contourner, et des énoncés montrant des tendances contradictoires sont rapportés à des besoins opposés), ce texte qui recherche un principe de généralisation est très stimulant ; il a souvent été revisité, dans différentes approches fonctionnalistes.

2.3.3. Outil d'analyse. Matériau variationnel syntaxique et disponibilité pragmatique

Berrendonner (1988) étudie les ressources linguistiques de la variation, en distinguant entre les principes structurants inhérents à une langue et le métadiscours social tenu sur la langue et le langage. Ce deuxième niveau est la norme, formulée à travers des prescriptions. Il distingue le champ des variantes possibles (matériau variationnel), et les conditions qui les régissent (stratégies de leur exploitation). Le matériau variationnel repose sur quelques schèmes qui rendent compte de la nature des variantes possibles : caractère flou des catégories (ex. hésitation de genre pour *coriandre* ou *réglisse*) ; indétermination d'opérations syntaxiques en (83), où la concurrence des prépositions peut conduire à une ambiguïté phonique en (84), désambiguïsée en (85) ; conflit entre deux opérations syntaxiques (comme la cliticisation de (86) et la relativisation de (87), conflit qui peut conduire aux relatives mixtes de (88) et (89)). Parmi les relatives, seule (87) est standard, et (89) est la plus stigmatisée (type croisé, souvent présenté comme produit d'un déficit, mais qui ne serait pas mieux évaluée en tant que « contamination ») :

(83a) il est sous la table
(83b) il est dessous la table
(84a) tire-le de sous la table
(84b) tire-le dessous la table
(85) tire-le de dessous la table
(86a) la fille / je t'en ai parlé
(86b) la fille / je t'ai parlé d'elle
(87) la fille dont je t'ai parlé
(88a) la fille dont je t'en ai parlé
(88b) la fille dont je t'ai parlé d'elle
(89) la fille que je t'ai parlé

La variation remplirait ainsi des fonctions de désambiguïsation, de résolution de conflits, et d'économie, avec un compromis entre coûts et gains de la variabilité, entre prestige de la norme et facilité de production. Plus que sur les aspects sociolinguistiques, Berrendonner insiste sur les enjeux communicationnels et pragmatiques : l'espace de jeu dans la langue augmente la maniabilité du système, laissant au locuteur une marge de manœuvre qui lui permet de s'adapter à toute circonstance ou toute interaction. Le prestige, qui passe par la mise à l'épreuve des locuteurs dans leur capacité à faire montre de distinction sociale, obéirait à une hiérarchisation inversement proportionnelle à la facilité pragmatique de production et de réception.

2.4. Le contraste variationnel du phonique et du grammatical

Les différences de fonctionnement notées renvoient à des différences plus profondes.

2.4.1. Outil d'analyse. La saillance

Cheshire (1996) oppose phonique et grammatical, plus que par les incontestables fréquences d'usage des éléments, par des principes généraux concernés par le sens. Elle fait l'hypothèse que le phonique, par sa plus grande fréquence, privilégie le marquage de traits sociaux, quand le syntaxique correspond plutôt à des conditionnements linguistiques, cognitifs et stylistiques.

Les environnements qui favorisent l'émergence de la variation ne sont pas définissables dans les mêmes termes : pour le phonique, il s'agit de processus articulatoires naturels, comme la place sous l'accent ou dans le groupe de souffle. Le syntaxique, lui, a des attaches au pragmatique et au cognitif. Ce qui est privilégié est une certaine saillance pour les locuteurs, selon la façon dont ils appréhendent le sens dans leurs énoncés, en organisant l'apport d'information. Apparaissent ainsi favorables à la variation les contextes emphatiques, négatifs, interrogatifs ou les affirmations fortes (qui supposent une polémique), ou encore la mise en valeur à travers l'ordre des mots (ex. la position pré-verbale, l'opposition entre arrière-fond et mise en exergue), la principale plus que la subordonnée. La variation syntaxique serait ainsi sensible à des contextes intrinsèquement interactifs, spécifiques du face-à-face de l'oral.

2.4.2. Outil d'analyse. Micro-syntaxe et macro-syntaxe

L'oral authentique, surtout quand il est interactif, conduit à distinguer entre syntaxe (grammaire de dépendance) et macro-syntaxe, ou niveau d'agencement des unités communicatives orales, qui s'appuie crucialement sur l'intonation et le para-linguistique. Au niveau macro-syntaxique, des énoncés que beaucoup de grammaires traiteraient comme déviants ou inachevés seront reconnus comme bien formés.

Ainsi, Berrendonner (2004), étudiant les contraintes fonctionnelles à la source des différences entre oral et écrit, conclut qu'il n'y a bien « qu'une grammaire du français, mais des différences d'optimalité pragmatique et cognitive » (p. 250). Les deux niveaux d'analyse syntaxique mettent en jeu des unités et des modes de relation différents : d'un côté, une organisation rectionnelle (micro-syntaxe), de l'autre un mode d'association entre clauses verbales, intonation et gestes (macro-syntaxe). Ce sont les conditions de production qui engendrent une orientation préférentielle, de l'écrit vers une organisation en micro-syntaxe, et de l'oral vers une organisation en macro-syntaxe.

Remarque : Les travaux de Blanche-Benveniste font fonctionner le même type d'opposition. Son approche pronominale prend argument de la forme des pronoms pour établir la fonction des éléments nominaux, et classe les subordonnées comme relevant de la valence, la rection et l'association, selon la force de la relation au noyau verbal.

3. Variation et changement

L'histoire de la langue ne peut se formuler comme une succession d'innovations, car celles-ci n'interviennent pas toujours au même rythme. De plus, elles ne concernent pas les différents niveaux de la même façon : constantes dans le lexique, limitées dans le phonique, elles sont rares en grammaire, où elles concernent la très longue durée.

3.1. Les mécanismes du changement

Un changement en cours suppose toujours en synchronie une cohabitation de formes en variation.

3.1.1. Innovations et variation de longue durée

Il y a deux méthodes possibles pour observer un changement en cours : en « temps réel », dans une perspective longitudinale (un même locuteur à différentes étapes de sa vie), ou en « temps apparent », exploitant la diversité des âges à un moment donné.

Tous les âges de locuteurs sont dignes d'intérêt, le rapport à la langue se modulant au fil d'une vie. Mais certains âges de transition apparaissent plus intéressants que d'autres, comme l'adolescence, moment de conduites provocantes, ou la retraite, qui peut s'accompagner d'un relâchement langagier par raréfaction des enjeux sociaux. La comparaison des usages selon l'âge revêt aussi un intérêt pour l'histoire de la langue. Variation en effet n'implique pas changement : il y a à la fois de la variation stable, qui n'aboutira jamais à un changement, et de la variation indice de changement en cours ; les deux se manifestant synchroniquement de façon identique. L'évolution des productions d'un locuteur au cours d'une vie, en temps réel, exige une méthodologie lourde, et évidemment du temps ; d'où l'idée de comparer en synchronie les productions de locuteurs selon la pyramide des âges. Une stratification générationnelle avérée peut être un indice de changement en cours, observation qui a donné naissance à la méthodologie variationniste (voir chapitre 4), qui a permis de comprendre beaucoup de choses, surtout pour le phonique.

Les questions sur le changement demeurent nombreuses, malgré la meilleure connaissance descriptive qu'on en a aujourd'hui. L'une d'entre elles concerne son rythme. Le français a-t-il, sur une période récente, suivi pour l'essentiel une évolution prévisible ? Ou bien est-ce qu'il s'est montré sensible aux nombreuses mutations socio-culturelles ? Cette question conduit à s'interroger sur la part d'interne et d'externe dans le changement.

Répondre à ces questions conduit encore une fois à distinguer entre les plans lexical et phonique d'une part, grammatical de l'autre.

3.1.2. Problèmes spécifiques du changement syntaxique

Les changements syntaxiques s'accomplissent sur plusieurs siècles, et la syntaxe du français s'avère assez stable depuis le XVIIe siècle. Les changements en cours sont soit amorcés depuis longtemps, soit trop récents pour que l'on sache s'ils viendront à complétion, ou même pour être identifiés comme des changements.

Une raison pour ne pas exposer ici d'exemples en syntaxe est qu'il est difficile d'avoir des exemples sûrs d'oral ancien. Ainsi, un changement syntaxique souvent discuté est la raréfaction des clitiques. Certes, il est fréquent d'entendre, comme en (90), un seul clitique et non deux, comme en (91), et des exemples comme (92) et 93), sans clitique, relèvent respectivement de la « langue des jeunes » et d'une variété cultivée de français d'Afrique :

(90) il est tellement bavard / la parole / il fallait lui couper
(91) il fallait la lui couper
(92) je parle pas à toi
(93) remets-moi le pistolet que tu as / le type me remet

Mais est-ce bien là un changement ? Que sait-on de ce qu'il en était jadis à l'oral ordinaire ? Les énoncés témoins ayant été transmis à travers l'écrit, même s'ils comportent plusieurs clitiques comme en (91), cela n'indique rien de sûr quant à ce qui se pratiquait réellement jadis à l'oral ; et pourquoi ne pas supposer un impact de la différence entre oral et écrit, comme aujourd'hui ? Le phénomène apparaît lié à la position préverbale, où tout élément situé entre le sujet et le verbe est en position fragile, comme on l'a vu pour le *ne*.

Il y a certainement des innovations locales, comme dans la relation entre constituants d'un groupe. Ainsi de la caractérisation des noms par juxtaposition, d'ailleurs déjà donnée comme innovation à la fin du XIXe siècle (*tarte maison*) :

(94) la pauvre / elle a un sérieux problème couple en ce moment

Mais qu'en est-il des innovations au niveau des règles majeures (grands constituants, grands types d'énoncés) ? Les hypothèses qui avaient voulu voir un changement typologique du français moderne, par exemple entre (95) et (96), ont surtout révélé une méthodologie trop soumise aux oppositions binaires, car ce n'est pas deux formes qu'il faudrait comparer, mais l'ensemble des types de sujets, dont la fréquence varie selon les genres ou les situations :

(95) l'enfant vient
(96) l'enfant il vient

Autre raison d'être prudent quant aux innovations syntaxiques : la syntaxe peut être sensible à la norme et à l'inculcation scolaire (plus que la prononciation), jusque dans les jugements d'acceptabilité des locuteurs, et jusque dans l'illusion d'innovations qui peuvent n'être que des déplacements de perception diaphasique, rendant soudain visible ce qui se trouvait dissimulé par un étiquetage marginalisant, comme « non-standard ».

3.1.3. Étude de cas. Un sous-système grammatical rendu lisible grâce au non-standard

La seule considération des formes standard rend souvent difficile de comprendre l'évolution du système et son état actuel ; de même qu'elle ne permet pas de comprendre que les formes non standard puissent subsister sur plusieurs siècles.

Blanche-Benveniste (1983) étudie le fonctionnement des pronoms *en* et *y* à l'impératif. À côté de cas comme (97) ou (98), où les formes prononcées [zɑ̃] et [zi] s'expliquent par la liaison, (99) avec son *–s* graphique apparaît isolé, jusqu'à ce qu'on le confronte aux formes non standard de longue durée (100) et (101). L'usage non standard généralise en effet les formes [zɑ̃] et [zi] à tout le paradigme, quand le standard recourt au supplétisme : troncation comme (102), ou formes longues comme en ((98) et (99)) :

(97) allez-y
(98) donne nous-en
(99) demandes-en
(100) donne moi z'en
(101) donnes-en moi
(102) donne m'en

Le système apparaît beaucoup plus lisible quand on prend en compte l'ensemble standard + non-standard, et la marginalisation des formes non standard n'est qu'un effet de la standardisation, qui a tranché dans le vif d'une évolution en cours, non une donnée de système.

3.2. Quelques changements en cours

Étant donné la difficulté de présenter des changements syntaxiques, nous présenterons deux exemples phoniques, et un sur la liaison.

3.2.1. Études de cas. La variabilité du système phonologique

Martinet (1945) a travaillé sur les points de variation et de changement dans le système français, qu'il rapporte à des caractéristiques des locuteurs (méthodologie co-variationniste avant l'heure). Son enquête (publiée en 1945) a été effectuée en 1942 dans un camp d'officiers prisonniers. Il fait passer par écrit à ses compagnons de captivité un questionnaire sur leur système phonologique : 43 questions concernent les points phonologiques « litigieux » dans le système du français (on dirait aujourd'hui variables) : 29 sur les voyelles, 16 sur les consonnes. Il obtient 409 réponses (nombre non négligeable pour les moyens de traitement de l'époque). Alors même que la population enquêtée est socialement plutôt homogène (hommes, adultes d'âge moyen, de niveau d'éducation assez élevé, issus pour la plupart de la bourgeoisie en tant qu'officiers), les résultats ne manifestent aucune homogénéité, même chez ceux qui viennent d'une même région. Dans un ouvrage ultérieur, il résume les résultats :

> « Sur 66 Parisiens de 20 à 60 ans appartenant dans l'ensemble à la bourgeoisie et réunis par le hasard en 1941, *il ne s'en est pas trouvé deux* pour répondre de façon absolument identique à une cinquantaine de questions visant à dégager le système vocalique de chaque informateur » (1960, p. 149 – c'est moi FG qui souligne).

Le questionnaire a, plus tard, été repris par Reichstein (1960) puis par Deyhime (1967), ce qui a permis de confirmer, sur des populations plus jeunes et plus de vingt ans après Martinet, les zones structurales de variation, ainsi que l'orientation de l'évolution. Certaines des questions ne sont plus adaptées au système actuel, comme celles concernant les voyelles longues, déjà archaïsantes à l'époque du questionnaire, et aujourd'hui en voie de disparition.

> **Remarque :** On peut critiquer une méthodologie où l'enquêteur n'a pas de contrôle sur la façon dont l'enquêté interprète les questions, avec le risque qu'il ait favorisé ce qu'il croyait bien de prononcer sur ce qu'il prononce vraiment, dont il n'a pas toujours conscience. Néanmoins, le constat d'hétérogénéité est saisissant. Ce travail constitue une amorce de sociolinguistique variationniste, et William Labov a toujours salué Martinet comme son précurseur.

3.2.2. Étude de cas. L'émergence du e muet prépausal

Le parler parisien a vu récemment apparaître un *e* muet en finale, qui se manifeste après consonne, même quand il n'y a pas de *e* graphique (*bonjoure*), et même après voyelle (*tu es fou e*). Outre la prononciation [œ], la plus fréquente, il connaît plusieurs réalisations phoniques, dont une forme nasalisée et une tendant vers [a] ; il est en général accompagné d'un schéma mélodique montant-descendant, il est plus fréquent dans des énoncés à modalité marquée, souvent devant pause totale, mais aussi entre groupes rythmiques. Sa distribution, très inégale dans la communauté, constitue pour Hansen (1997) une invite à pratiquer, avec un corpus recueilli en région parisienne, une étude contrastant les couches sociales et les âges. Elle confronte aussi son corpus à un corpus qui avait été constitué une quinzaine d'années plus tôt, aussi en région parisienne.

Le *e* prépausal apparaît ainsi massivement « jeune », et son usage s'est récemment répandu, les stades les plus avancés étant atteints par de jeunes femmes. Il jouit d'une incontestable popularité chez les jeunes, et pourrait donc constituer un changement en cours ; cependant, certains aspects de stigmatisation (rendus explicites par la distribution diaphasique et par les commentaires subjectifs des locuteurs) pourraient freiner son extension aux styles de la distance, et donc sa généralisation.

3.2.3. Étude de cas. La liaison dans la parole publique

Encrevé (1988) a étudié un phénomène qui n'a fait que s'amplifier au cours du XXe siècle : la liaison sans enchaînement. La liaison, phénomène à la fois phonologique et syntaxique, lié à l'écrit et à la littératie, fonctionne comme un facteur de distinction (au sens de Bourdieu). Une liaison effectuée couplée à l'absence d'enchaînement constitue un compromis respectant le caractère distinct des mots (en particulier en faisant porter sur la première syllabe un accent dit didactique, par opposition à un accent d'insistance), tout en maintenant le prestige qu'apporte la liaison. Aussi la voit-on progresser au cours du XXe siècle, dans les discours publics, particulièrement dans l'usage d'hommes politiques (ex. (103)), jusqu'à des auto-corrections comme (104), où le non-enchaînement évite de prêter au calembour, sans perdre le bénéfice symbolique d'une liaison effectuée. La tendance va jusqu'à la « liaison consonantique », qui consiste à faire sonner une consonne devant consonne, comme en (105) :

(103) à ce que je jugeais z ʔ essentiel
(104) à l'époque où M. Mitterrand était premier ministre et Dieu sait s'il l'a beaucoup p é ʔ beaucoup p ʔ été
(105) il faut t ʔ comprendre

Remarque : Le rôle de la liaison dans la parole publique, jusqu'à la liaison sans enchaînement et la liaison consonantique, va aussi dans le sens d'un attachement des Français à la valorisation d'une culture de l'écrit. Une autre interprétation de la liaison consonantique comme régularisation sur les groupes d'une grande fréquence *quand il* ou *quand elle* n'est aucunement contradictoire, les phénomènes « prenant » d'autant mieux qu'ils sont surdéterminés.

Conclusion

Le phonique constitue le lieu le plus fréquent où a été étudiée la variation, mais les enjeux explicatifs (comment et pourquoi est-ce ce matériau-là qui est en jeu dans la variation ?) concernent aussi les phénomènes grammaticaux, compte tenu des spécificités de l'oral que sont le déroulement temporel et la co-présence des interactants. Si, à un certain niveau de généralité, il y a des propriétés communes au phonique et au grammatical du point de vue de la variation, l'investissement sémantique et pragmatique conduit à les opposer dans leurs possibilités de maniement par les locuteurs, d'investissement sociolinguistique, et de rôle dans le changement. Les phénomènes variationnels apparaissent ainsi comme des objets complexes du point de vue des principes qui les oriente. Si des hypothèses fonctionnalistes ne permettent pas d'expliquer le tout de la variation et du changement, elles aident à mesurer l'enchevêtrement et la complexité du jeu entre facteurs internes et externes.

Pour aller plus loin

1. L'expression « matériau variationnel » est empruntée à Berrendonner 1988. Présentation des traits de variabilité dans Gadet 1992, 1997, Chaudenson *et al.* 1993. Des synthèses récentes sur le français parlé, signalant les traits stigmatisés, dans Léon 1993 et Carton 2000 pour le phonique, Encrevé 1988 et Laks 2005 pour la liaison, son histoire et son rapport à l'écrit. Blanche-Benveniste 1997 a et b, Dufter & Stark 2003, Gadet 2004b pour la syntaxe. Une tentative de grammaire complète du français non standard dans Ball 2000, pour des apprenants étrangers. Queneau 1965 pour les modalités de présentation de l'information. Chaudenson 1993 et Chaudenson *et al.* 1993 sur le « français zéro », explorant les relations entre faits de variation diatopique et diastratique. Cheshire 1996 sur la saillance, distinguée de la proéminence et de la fréquence.

2. Pour des tentatives de généralisation sur le fonctionnement des processus linguistiques non standard, outre Kroch 1978, Gadet 2000, aussi axé sur le phonique ; Culioli 1983 sur les préjugés concernant la langue parlée, Deulofeu 1999 pour les effets sur le système des aléas de la standardisation. Pour des réflexions fonction-nalistes à propos de la syntaxe des séquences complexes, Wiesmath 2006 sur le français parlé en Acadie. Coveney 1997 et 2002 pour un classement des variables grammaticales dans une perspective variationniste. Pour la macro-syntaxe, Berrendonner 2002 et 2004, Blanche-Benveniste 1997b, Deulofeu 2001, Debaisieux 2001. Berrendonner 1982 pour la modularité d'une « grammaire polylectale ». Miller & Weinert 1998 pour une réflexion sur les spécificités des versions parlées des langues (mais portant peu sur le français), et Blanche-Benveniste 1981 sur la présentation de valence, rection et associé.

3. Hausmann 1992 pour une discussion sur l'ancienneté du français parlé actuel ; Fonagy 1989 pour les modifications phoniques en cours, Deulofeu 2001 sur l'innovation syntaxique, qui critique Ashby 1982 sur l'hypothèse du changement typologique. Cappeau 2001, et Bilger & Cappeau 2004 sur les genres. Sur la « faute » envisagée d'un point de vue grammatical, Leeman-Bouix 1994. Klinkenberg 2001 sur le rôle de l'école dans la perception du français par ses locuteurs.

ASHBY W., 1982, « The Drift of French Syntax », *Lingua* 57, 29-46.

BALL R., 2000, *Colloquial French Grammar. A Practical Guide*, Oxford, Blackwell.

BERRENDONNER A., 2002, « Morpho-syntaxe, pragma-syntaxe, et ambivalences sémantiques », *in* H-L. Andersen & H. Nølke (dir.), *Macro-syntaxe et macro-sémantique*, Berne, Peter Lang, 23-41.

BERRENDONNER A., 2002, « Les deux syntaxes », *Verbum* XXIV 1-2, 23-35.

BERRENDONNER A., 2004, « Grammaire de l'écrit *vs* grammaire de l'oral : le jeu des composantes micro- et macro-syntaxiques », *Interactions orales en contexte didactique : mieux (se) comprendre pour mieux (se) parler et pour mieux (s') apprendre*, A. Rabatel (Dir), Lyon, PUL, 249-64.

BILGER M. & P. CAPPEAU, 2004, « L'oral ou la multiplication des styles », *Langage & Société* 109, 13-30.

BLANCHE-BENVENISTE C., 1981, « La complémentation verbale : valence, rection et associés », *Recherches sur le Français Parlé* 3, 57-98.

BLANCHE-BENVENISTE C., 1983, « L'importance du "français parlé" pour la description du "français tout court" », *Recherches sur le français parlé* 5, 23-45.

BLANCHE-BENVENISTE C., 1997a, « La notion de variation syntaxique dans la langue parlée », *Langue française* 115, 19-29.

CAPPEAU P., 2001, « Faits de syntaxe et genres à l'oral », *Le français dans le monde* numéro spécial *Oral : variabilité et apprentissages*, 69-77.

CARTON F., 2000, « La prononciation », *in* G. Antoine & B. Cerquiglini (dir.), *Histoire de la langue française (1945-2000)*, Paris, Ed. du CNRS, 25-60.

CHAUDENSON R., 1993, « Francophonie, "français zéro" et français régional », *in* Robillard D. de & Beniamino M. (dir.), *Le français dans l'espace francophone*, Paris, Champion, 385-405.

CHESHIRE J., 1996, « Syntactic Variation and the Concept of Prominence », *in* J. Klemola, M. Kato & M. Rissanen (Eds), *Speech past and present : studies in English dialectology in memory of Ossi Ihalainen*, Frankfurt, Peter Lang.

COVENEY A., 1997, « L'approche variationniste et la description de la grammaire du français : le cas des interrogatives », *Langue française* 115, 88-100.

CULIOLI A., 1983, « Pourquoi le français parlé est-il si peu étudié ? », *Recherches sur le français parlé* 5, 291-300.

DEBAISIEUX J-M. 2001, « Vous avez dit "inachevé"… De quelques modes de construction du sens à l'oral », *Le français dans le monde* numéro spécial *Oral : variabilité et apprentissages*, 53-62.

DEULOFEU J., 1999, « Questions de méthode dans la description morpho-syntaxique de l'élément *que* en français contemporain », *Recherches sur le français parlé* 15, 163-98.

DEULOFEU J., 2001, « L'innovation linguistique en français contemporain : mythes tenaces et réalité complexe », *Le français dans le monde* numéro spécial *Oral : variabilité et apprentissages*, 18-31.

DEYHIME G., 1967, « Enquête sur la phonologie du français contemporain », *La linguistique* 1 (97-108) et 2 (57-84).

FONAGY I., 1989, « Le français change de visage ? », *Revue romane*, 24/2, 225-54.

GADET F., 2000, « Le terme “relâchement” en sociolinguistique », *LINX* 42, 11-20.

HANSEN A., 1997, « Le nouveau *e* prépausal dans le français parlé à Paris », *in* J. Perrot (dir.), *Polyphonie pour Ivan Fonagy*, Paris, L'Harmattan, 173-98.

HAUSMANN F-J., 1992, « L'âge du français parlé actuel : bilan d'une controverse allemande », *in* G.E.H.L.F. (dir.), *Grammaire des fautes et français non conventionnel*, Actes du VIe Colloque international, École Normale Supérieure de la rue d'Ulm, 355-62.

LAKS B., 2005, « La liaison et l'illusion », *Langages* 158, 101-25.

LEEMAN-BOUIX D., 1994, *Les fautes de français existent-elles ?*, Paris, Seuil.

MARTINET A., 1945, *La prononciation du français contemporain*, Genève-Paris, Droz.

MARTINET A., 1960, *Éléments de linguistique générale*, Paris, A. Colin.

MILLER J. & R. WEINERT, 1998, *Spontaneous Spoken Language. Syntax and Discourse*, Oxford, Oxford University Press.

QUENEAU R., 1965, « Connaissez-vous le chinook ? », *Bâtons, chiffres et lettres*, Paris, Gallimard, 57-63.

REICHSTEIN R., 1960, « Étude des variations sociales et géographiques des faits linguistiques », *Word* 16, 55-99.

Chapitre IV

LE DIASTRATIQUE : L'IMPACT DU SOCIAL

De quelle façon les facteurs sociaux interviennent-ils dans la dynamique de l'usage langagier ? Pour répondre à cette question, il faut pouvoir identifier ces facteurs et les phénomènes qu'ils recouvrent, et problématiser leurs modalités d'entrée en relation. La difficulté est que la sociolinguistique a hérité des sciences sociales des catégories et des définitions qui n'ont pas été construites dans la perspective d'une investigation du langage.

Nous consacrerons ce chapitre à sélectionner les catégories sociologiques pertinentes pour l'étude du langage dans son contexte social. Puis nous examinerons la façon dont les facteurs sociolinguistiques interviennent dans la transmission des normes.

1. La prise en compte du social dans le sociolinguistique

Pour éviter de recourir à un appareil sociologique réducteur, ou faisant un usage instrumental de concepts sociologiques construits sans prise en compte du langage, nous examinerons les catégories sociologiques permettant d'appréhender le langagier dans une optique sociolinguistique. Nous distinguerons deux ensembles de catégories : celles en usage chez les linguistes, comme « contexte » et « communauté », et celles empruntées plus directement à la sociologie empirique, comme ceux qui définissent les classes sociales ou des systèmes relationnels ; ainsi de « marché linguistique », « réseau », ou « interaction ».

1.1. Des concepts sociaux utiles en sociolinguistique

Les notions de contexte et de communauté, de longtemps présentes chez les linguistes, peuvent constituer des manières de prendre en compte le social.

1.1.1 Contexte

Le contexte est souvent présenté en relation avec deux notions plus générales : celles de situation et de circonstances, ce qui ne rend pas aisé sa caractérisation précise. Selon les théories, il en est fait un usage assez différent, à la fois dans le recours même (restreint ou étendu), et dans les dimensions convoquées dans sa définition.

Les linguistiques du système sont clairement à un pôle minimal de recours au contexte (théories autonomistes, qui ne conçoivent le contexte qu'au sens d'environnement, ou co-texte), mais toute la sociolinguistique ne se situe pas dans une extension maximale. En effet, le contexte peut être regardé comme périphérique dans un modèle qui autonomise le linguistique dans l'étude du système ; ou bien il peut être regardé comme constitutif des objets analysés, dans un modèle dynamique. Ainsi, on peut opposer des tenants d'une version faible de l'indexicalité (où seuls certains éléments de la langue sont concernés) et des tenants d'une version forte, pour lesquels l'indexicalité constitue un phénomène général, qui peut aller jusqu'à constituer une propriété générale du fonctionnement de la langue.

Il n'existe donc pas de définition du contexte sur laquelle tous les linguistes s'accorderaient, et celle-ci varie selon que l'on adopte un modèle statique et formaliste ou un modèle dynamique. Dans le premier cas, il s'agit de relever des caractéristiques préexistant à l'énonciation, ou ensemble prédéfini de paramètres, souvent appelé situation. Dans le second cas, le contexte est construit au fil du discours comme un ensemble d'éléments et de processus par l'activité des locuteurs et leurs interactions.

Au niveau social, on retrouve une autre opposition, entre les approches contextualistes d'inspiration interactionniste, qui privilégient la dimension pragmatique, et les approches macrosociologiques qui privilégient une échelle supérieure (le système social).

1.1.2. Communauté

Les linguistes font généralement de ce terme un usage lâche, à la mesure de leur adhésion implicite à un découpage naturel des langues. Deux critères permettent de définir une communauté (linguistique) : le territoire (zone géographique, ou espace de co-résidence ou voisinage), et le réseau de relations sociales du groupe étudié. Ces deux critères sont de force inégale, avec une prédominance du critère relationnel sur le critère spatial lorsqu'on considère des groupements de locuteurs.

Nous avons déjà vu qu'une communauté linguistique ne repose pas nécessairement sur une similitude des façons de parler, ni spatiale ni sociale, même si certains traits sont partagés par le groupe. La dimension sociale d'une communauté n'est pas seulement relationnelle, elle est aussi normative (au sens sociologique de partage de normes et de valeurs). Les évaluations produites par les locuteurs (d'eux-mêmes et des autres) appuient la conception de la communauté linguistique comme partage d'appréciations sur les façons de parler, quelles que soient les différences dans les productions individuelles. Une communauté devient communauté d'appartenance ou de pratiques lorsque les usagers répartissent les locuteurs en « nous/eux », selon une emblématisation des groupes (emblème pour les uns, stigmate pour les autres), qui leur permet de se reconnaître comme provenant du même groupe (renforcement de la cohésion interne) tout en se distinguant des autres (différentiation par traçage de frontières et exclusion externe). Aussi peut-on définir la communauté comme ensemble de locuteurs qui partagent les mêmes normes appréciatives, positives ou négatives, quel que soit leur usage spécifique. Une telle définition s'avère appropriée, par exemple, pour ceux des locuteurs de Lille évoqués au chapitre 1, qui déprécient leur façon de parler et valorisent le standard qu'ils n'utilisent pas.

Mais cette définition par le partage de normes et de jugements a aussi été critiquée parce qu'elle repose sur un préjugé fonctionnaliste de consensus (cohésion sociale et auto-régulation), et tient insuffisamment compte de la tension entre usages de langue maintenus à travers des pressions de solidarité et usage renforcé par des idéologies appuyées sur le statut et le prestige ; elle ne tient pas non plus assez compte des conflits, de la multiplicité des appartenances et des discriminations entre locuteurs à l'intérieur d'une même communauté. Sur quoi les locuteurs peuvent-ils s'accorder, au-delà de ce qui les divise ?

Les notions de contexte et de communauté apparaissent délicates à utiliser pour les mêmes raisons : elles couvrent beaucoup de problèmes à la fois, avec des usages plus ou moins larges selon la taille du groupe.

1.2. L'identification socio-démographique des locuteurs

Les sociolinguistes ont tendu à privilégier le rôle d'indices sociaux quantifiables, et avant tout le sexe et l'âge (socio-démographique), plus faciles à mesurer que la position sociale. Les problèmes qu'une telle classification soulève sont bien connus de la sociologie : sur quels critères classer les locuteurs, ne serait-ce qu'en trois groupes, comme « classe ouvrière », « classe moyenne » et « classe supérieure » ? Trois facteurs sont souvent exploités comme indices de position sociale, justement ceux qui permettent une quantification : niveau d'étude, profession (en particulier, différence entre travail d'exécution et travail intellectuel) et type d'habitat (rural ou urbain). Il a aussi été proposé, selon le contenu et les modalités des enquêtes, de tenir compte de la profession des parents (trajectoire sociale), du revenu, du type de logement…

Mais de tels classements, qui ne font qu'exploiter l'instrumentation la plus formelle de la sociologie d'enquête, vont-ils s'avérer pertinents pour tous les phénomènes (socio)linguistiques ? A-t-on une chance de saisir à travers ces indices sociaux plutôt statiques la dynamique des relations sociales en cause dans les échanges langagiers ? Les usages linguistiques en France se sont en effet montrés, sur une période récente, sensibles à des facteurs difficilement quantifiables. Certains sont propres à ce pays, comme le poids de l'histoire ou un certain état des relations sociales ; d'autres sont partagés par tous les pays industrialisés : poids accru des couches moyennes et du secteur tertiaire (avec des effets sur le rapport à la langue, en particulier pour l'insécurité linguistique caractéristique des classes moyennes sensibles au standard), régression du monde rural (avec pour conséquence l'atténuation des spécificités diatopiques les plus saillantes), immigration et nouveaux contacts de langues porteurs de nouvelles identités, nouveaux rapports entre oral et écrit, en relation avec l'émergence de nouvelles technologies. Quant à l'effritement du statut international du français, il pourrait contribuer à affaiblir l'adhésion spontanée à une idéologie du caractère exceptionnel du français.

Mais l'énumération de tels facteurs de mutation ne suffit pas à expliquer pourquoi les locuteurs ne réagissent pas tous à l'identique, les façons de parler, les conduites et les attitudes n'étant pas toujours en relation directe bi-univoque avec l'appartenance socio-démographique. D'où la nécessité de s'intéresser à des catégories davantage liées à la dynamique des interactions entre les locuteurs.

1.3. Se donner des concepts relationnels

Ces concepts s'appuient tous sur l'inégalité structurelle entre les productions des locuteurs, et tentent d'introduire une analyse trans-niveaux des échanges linguistiques, en articulant le local et le global.

1.3.1. Le marché linguistique : un concept sociologique applicable au langagier

L'hypothèse du « marché linguistique », empruntée au sociologue Pierre Bourdieu, est un indice langagier du comportement social, qui considère qu'à formation et profession comparables, un locuteur dont l'activité requiert un maniement intensif oral et/ou écrit de la langue (professions en rapport avec le public, avocat, écrivain, enseignant, standardiste…) aura une pratique langagière plus fluide. La différence entre les pratiques s'accompagne d'une différence dans les évaluations, localement au sein du groupe, et structurellement au niveau sociétal. On peut en donner une illustration concernant l'Île du Prince Édouard (Canada), de francophonie résiduelle. Parmi les interviewés, deux des locuteurs ayant le français le plus proche du standard sont une secrétaire et un gardien, ce qui est peu interprétable en termes de statut social, tant qu'on ne sait pas qu'ils travaillent tous deux pour une école française (choix très minoritaire, volontarisme éducatif de la part des parents) très exigeante envers son personnel quant à la qualité de la langue. Cet exemple illustre la relation complexe entre le local (l'école) et le global (le français dans les Provinces Maritimes, ou dans tout le Canada).

Pas plus que la communauté, le marché linguistique n'est unifié. Le contrôle des ressources matérielles et économiques s'accompagne d'un contrôle des ressources culturelles et symboliques. Le constat que certains ont accès à plus de ressources que d'autres (dominants/dominés) se trouve marqué au niveau symbolique et discursif, si toute distinction sociale se manifeste en même temps comme distinction symbolique. Un marché est potentiellement un lieu de conflit et de « violence symbolique », ce que l'on peut illustrer avec une anecdote où l'on voit sans surprise la liaison fonctionner comme indice de distinction :

> (1) {un présentateur-vedette du journal télévisé est en train d'interviewer un jeune apprenti d'une école de pâtisserie}
> *Élève* : l'école comporte mille z élèves…
> *Journaliste* : mille ʔ élèves, sans s
> *Élève* : pardon

L'idée de marché linguistique, comme celles de domination et de violence symboliques, et celle de distinction, constitue une manière d'articuler les niveaux macro- et micro- ; elle est néanmoins plus évocatrice qu'explicative.

1.3.2. Outil d'analyse : Le marché linguistique comme indice social

Devant l'insuffisance des indices sociaux et démographiques classiques, qui ne prennent pas en compte l'espace symbolique, des sociolinguistes de Montréal (Sankoff & Laberge 1978) ont élaboré un « indice de participation au marché linguistique ». Pour tenter de quantifier cette variable d'abord qualitative, ils construisent un indice permettant d'établir dans quelle mesure l'activité des locuteurs requiert le maniement de la langue standard. Conscients du caractère intuitif des réactions aux façons de parler, ils demandent d'évaluer les 120 locuteurs du « Corpus de Montréal » à un jury connaissant bien le marché linguistique local (8 enseignants et thésards de linguistique travaillant sur la communauté montréalaise). On leur présente 120 fiches qui décrivent l'histoire de vie socio-économique de chaque locuteur du corpus, en leur demandant de les classer en groupes ordonnés, selon l'importance que revêt la langue standard dans leur vie sociale. Les regroupements effectués par chacun reçoivent un indice numérique, qui sera la moyenne des notes données par les 8 juges. Il s'avère que l'accord sur la hiérarchisation est massif, avec quelques désaccords concernant des cas à éléments conflictuels (par exemple, décalage entre formation et emploi occupé).

L'indice de participation au marché linguistique est ensuite confronté aux variables linguistiques identifiées dans le corpus, comme les auxiliaires *avoir* et *être* ou l'alternance *ce que/qu'est-ce que* comme introducteurs d'interrogations indirectes ((2) et (3)) :

(2) il est descendu
(2') il a descendu
(3) je me demande ce qu'il veut
(3') je me demande qu'est-ce qu'il veut

L'indice s'avère finalement bien plus fin pour distinguer entre les locuteurs que les variables sociales et démographiques (même davantage que le niveau d'éducation).

Remarque : Cette approche cherche à atteindre une perspective dynamique sur l'histoire du locuteur et les particularités individuelles. Elle n'a pourtant guère convaincu l'ensemble des sociolinguistes, et n'est plus guère utilisée aujourd'hui.

1.3.3. Les réseaux sociaux : définition sociologique

Outre leurs caractérisations sociales, les acteurs sociaux sont partie prenante de différents types de liens sociaux (ou réseaux), qui varient en termes de degré d'interaction ou de proximité entre les locuteurs. Les réseaux sociaux sont des configurations relationnelles qui permettent d'analyser des structures sociales à différents niveaux : parenté, groupe d'amis, relations de travail, bande, voisinage, loisirs, associations, organisations…

La notion de réseau social relève typiquement d'une tentative pour lier micro- et macro-analyse, en visant à reconstituer le système de relations aussi bien local que global. Un réseau est en effet un ensemble de relations entre des individus, ou « liens », d'intensité variable, allant du très proche et du quotidiennement sollicité à la ressource lointaine et épisodique du « carnet d'adresses ». Les liens à l'intérieur d'un réseau sont caractérisés à la fois de façon relationnelle (forme des liens), et interactionnelle (contenu des liens). Un réseau peut donc être défini par sa densité, sa cohésion, son ampleur, son intensité, son histoire. Ainsi, la fréquence des interactions entre les membres, l'intensité des liens, le degré de réciprocité et le contenu des relations (amitié, conseil, coopération) définissent la nature du réseau. Il peut être « lâche » ou « dense » d'une part (nombre d'acteurs reliés, objectifs de la relation), « uniplexe » ou « multiplexe » de l'autre (nombre d'activités partagées, entre une seule et plusieurs). La sociolinguistique peut contextualiser les relations en exploitant l'opposition entre réseau à portée locale et réseau à portée globale, ceci afin de comprendre aussi bien la persistance que le changement d'un phénomène langagier.

1.3.4. Outil d'analyse : Les réseaux serrés

La sociolinguistique s'est appropriée la notion de « réseau social » avec les travaux de Lesley Milroy (1980), qui les a montrés comme un facteur déterminant de fonctionnement et de renforcement des normes langagières. Dans différents quartiers ouvriers qu'elle étudie à Belfast en Irlande, les liens entre les locuteurs sont à la fois denses, multiplexes, et à base locale : contacts fréquents, multiples activités partagées (travail, parenté, loisirs, vie associative, pratique religieuse), proximité d'habitat.

Il s'agit de réseaux denses et fortement cohésifs, ce qui a sur les pratiques langagières des effets de renforcement des normes : « plus les liens de réseau d'un individu avec sa communauté locale sont denses, plus il se rapproche des normes vernaculaires locales » (1980, 175). Un réseau de ce type est un facteur conservateur puissant, résistant aux changements venus de l'extérieur, et garant des normes communautaires vernaculaires. Par conséquent, c'est aussi un facteur d'identité de groupe et une force de résistance passive aux valeurs dominantes. Enfin, dans l'article de J. & L. Milroy (1992), les divergences de conduites individuelles de locuteurs relevant du même type social global sont prises en compte à travers une catégorie « mode de vie », qui prend en compte les particularismes de certaines histoires de vie.

> **Remarque :** La notion de réseau, empruntée au sociologue Granovetter, rend compte de la mobilité et du changement, non seulement dans les comportements prévisibles, mais aussi dans ceux qui sont atypiques (locuteurs intégrés au cœur d'un réseau, ou au contraire périphériques ou marginaux). Les locuteurs périphériques jouent un rôle social privilégié, car ce sont eux qui peuvent servir de « ponts » entre différents réseaux.

1.3.5. L'interaction

La prise en compte de la dimension relationnelle par des concepts comme marché, réseau, ou communauté, peut être regardée comme une façon de reconnaître le role de l'interaction, qui constitue alors une façon de relier la notion de contexte à la structure des relations sociales entre les locuteurs. Le sociologue Erving Goffman (1981) a souligné que, s'il est rare que le contexte corresponde à la situation, c'est parce que la dynamique des relations entre les locuteurs modifie constamment la relation à la situation, par le caractère répété des ajustements entre protagonistes, au cours de la communication verbale.

Ainsi, un échange langagier n'est pas seulement une interaction entre un locuteur et un destinataire, mais aussi une coopération conversationnelle dans un cadre de participation, autour de tâches langagières comme la négociation de la référence des objets dont on parle, ou pour la mise au point d'une action conjointe afin de réaliser une tâche commune. L'approche contextuelle par la conversation rejoint donc l'approche relationnelle par les réseaux ou par la communauté.

Remarque : Jeanneret 1999 met en lumière la fréquence des effets de collaboration dans les ajustements conversationnels entre locuteurs, phénomène qu'elle appelle « co-énonciation ».

2. Le changement : facteurs internes et facteurs externes

Le changement demeure en partie un phénomène mystérieux : on sait assez bien comment il fonctionne, mais guère pourquoi il intervient dans les langues. Le sociolinguiste William Labov a fait l'hypothèse que, à côté des contraintes linguistiques, la variation obéit à des régularités portées par des facteurs historiques et sociaux (dits externes ou extra-linguistiques) ; et il suppose que la mise en rapport quantifiée de phénomènes des deux ordres permettra un éclairage sur la structuration sociolinguistique.

2.1. Une méthodologie de mise en relation

Les facteurs avec lesquels la variation linguistique apparaît pouvoir être mise en relation ont conduit à une méthodologie qui croise des phénomènes linguistiques variables (voir chapitre 3), avec des caractéristiques extra-linguistiques objectives (comme la pyramide des âges, ou la position sur l'échelle sociale).

2.1.1. Un modèle théorique, le variationnisme

Le sociolinguiste sélectionne un phénomène linguistique identifié comme variable dépendante, et établit sa répartition à travers la communauté en mettant en corrélation le taux d'occurrences et éventuellement les restrictions avec des caractéristiques extra-linguistiques des locuteurs et/ou des situations.

Voici un exemple très simplifié concernant le *ne* de négation (nombre de *ne* présents par rapport au nombre de *ne* possibles), pris comme indice de caractérisation socio-démographique.

Tableau 4
L'usage du *ne* de négation
(adapté de Coveney 2002)

De 17 à 22 ans	**De 24 à 37 ans**	**Entre 50 et 60 ans**
8,4 %	23,9 %	28,8 %
Classe ouvrière	**Classe moyenne**	**Classe supérieure**
9,2 %	16,4 %	19,3 %

Femmes	**Hommes**
14,8 %	16,1 %

Ce tableau atteste d'une stratification régulière à travers la communauté :

– selon l'âge : les jeunes utilisent moins *ne* que les plus âgés, et la progression à travers trois couches d'âge est régulière ;

– selon la classe sociale : les locuteurs de la classe ouvrière utilisent moins *ne* que les locuteurs des classes supérieures, et la progression dans les trois classes est régulière ;

– selon le sexe : ce facteur ne s'avère pas ici significatif, car la différence entre hommes et femmes est faible ; mais il arrive avec d'autres variables qu'il le soit.

Mais établir une stratification est une chose, interpréter sa signification sociale en est une autre. Ainsi, la stratification en âge peut indiquer un changement en cours, mais peut aussi montrer une évolution en cours de vie, qui se répéterait génération après génération. La stratification en classes sociales indique une hiérarchie de valorisation, mais il est difficile d'établir si elle concerne l'indice social global, ou un facteur spécifique. Quant aux situations, qui ne sont pas représentées dans ce tableau, leur complexité peut-elle être quantifiée de façon linéaire ? Peut-on ici les appréhender autrement que par un indice vague, opposant formel et informel ? Nous y reviendrons au chapitre 6.

2.1.2. Étude de cas. Stratification variationnelle et changement

Dans un cadre variationniste, Ashby (1991) étudie deux phénomènes en cours de changement : la négation en *pas* seul, et la prononciation sans [l] des clitiques *il(s), elle(s)* et *lui*. Ashby travaille sur des interviews qu'il a effectuées à Tours, avec des locuteurs entre 14 et 80 ans, hommes et femmes en nombre équivalent, et relevant de trois couches sociales différentes. Il établit de façon quantitative que les jeunes locuteurs ont un comportement moins conservateur que les plus âgés de même statut social (recours plus fréquent aux variantes non standard), et il considère que la négation et la prononciation des clitiques constituent deux changements en cours, d'évolution lente et continue sur une longue durée, qu'il appelle « dérive » (*drift*).

Ashby prend ainsi position dans la discussion sur l'ancienneté de l'état actuel du français parlé. Il repousse l'hypothèse concurrente d'une persistance déjà ancienne d'une variation reposant sur les registres (*pas* ou [i] comme variantes de la proximité, *ne… pas* ou [il] comme variantes de la distance). Pour lui, le fait que tous les locuteurs, quoique selon des taux différentiels, participent du processus, plaide pour une dérive plus que pour une variation stabilisée. Mais seule une observation en temps réel pourrait constituer une preuve décisive.

> **Remarque :** Ce travail montre qu'il faut procéder avec prudence pour interpréter le quantitatif, qui serait ici compatible avec les deux interprétations opposées : changement en cours, ou persistance à long terme dans la co-habitation.

2.2. Variationnisme et changement

Une étude quantitative permet donc une première approche, qui doit être approfondie avec une connaissance spécifique de la communauté. L'intérêt d'une méthodologie variationniste est ainsi manifeste, jusque dans le socio-démographique, pourtant une zone où l'on n'attendrait guère d'imprévu, devant l'évidence apparente du sexe ou de l'âge ; elle a permis de souligner des comportements différents entre des catégories dichotomiques (homme/femme), ou des continuums (l'âge, les revenus, le niveau éducatif…). Mais au-delà d'avoir fait apparaître les régularités d'une structuration sociolinguistique, ce modèle permet aussi de soulever des questions.

Un premier ordre de questions concerne les phénomènes linguistiques : sont-ils tous susceptibles de s'inscrire dans une telle démarche, en particulier pour ce qui concerne la différence entre le phonique et le grammatical ? Le premier n'est pas porteur de signification, au contraire du second. Le phonique est ancré dans la posture corporelle dès le plus jeune âge, le grammatical surtout construit de façon évaluative lors de la scolarisation. Est-ce que des phénomènes relevant de ressorts aussi différents participent de façon identique à la construction d'une identité sociale ? La notion de variable est plus satisfaisante pour le phonique (où la persistance du sens est hors de doute) que pour le grammatical.

Une deuxième question concerne ce que la mise en relation des deux ordres permet d'apprendre sur le fonctionnement de la langue et sur le social. Si l'on devait ne faire qu'y retrouver des phénomènes linguistiques d'une part, et de l'autre des catégories sociologiques et socio-démographiques déjà connues, cela ne permettrait pas d'instaurer un ordre propre du sociolinguistique.

Une autre question concerne la détermination des catégories sociales, et le risque de circularité, avec la tentation de faire de phénomènes linguistiques des indices de localisation spatiale, sociale ou situationnelle. Par exemple, une catégorie « jeunes » existerait parce que les jeunes ont un comportement langagier spécifique ; et comme leur comportement langagier s'avère spécifique, on y voit une confirmation qu'il y avait bien lieu de poser une catégorie « jeunes ».

Enfin, il se pose un problème méthodologique. Une présentation dichotomique des variables est de fait favorisée par la méthodologie, avec le double confort d'un social dichotomique et d'une conception oppositive des catégories de langue, qui convient mieux à la phonologie qu'à la syntaxe, car soit elle ne traite que de phénomènes de niveau local (comme le *ne* de négation), soit elle simplifie les phénomènes de plus haut niveau (comme on en a vu le risque pour l'étude des sujets au chapitre 3).

L'avenir du variationnisme se joue ainsi dans deux zones : sa capacité à traiter de faits linguistiques hors de la zone où il s'est constitué, la phonologie ; et à participer de l'élaboration d'un ordre du sociolinguistique, qui montrerait autre chose qu'une mise en rapport du social et du linguistique dont les catégories auraient été déjà constituées indépendamment de leur entrée en relation. Une sociolinguistique qui, s'avérant heuristique, aurait la capacité d'apprendre quelque chose aux sociologues. Nous n'en prendrons qu'un exemple, celui de l'enquête de Martha's Vineyard (1963, *in* 1972a). Les facteurs démographiques et sociaux traditionnels que Labov cherchait à associer à un phénomène phonétique propre aux Vineyardais (la centralisation de diphtongues) ayant tous échoué à fournir des corrélations explicatives, c'est dans le poids d'attitudes et de représentations linguistiques qu'il a trouvé un facteur pertinent : l'orientation positive ou négative vers l'extérieur de la communauté et les innovations venues du continent. Ce qu'aucune catégorie sociologique pré-établie ne permettait d'envisager.

2.3. Explications du changement, interaction et contact

Au-délà de la mise en relation de catégories linguistiques et sociales, les linguistes ont cherché à expliquer le changement, et ont souvent considéré qu'il pouvait s'expliquer en terme de « prestige » (le moteur du changement serait le désir d'imitation de locuteurs regardés comme prestigieux). Une telle conception prend acte de l'importance de la dimension symbolique, tout en laissant ouvertes deux hypothèses sur la diffusion des innovations : l'une de l'ordre de l'argumentation active, ou bien un fonctionnement plus diffus, relevant du mimétique. Le terme de prestige, plus descriptif qu'explicatif, s'est d'ailleurs à ce point imposé que des sociolinguistes parlent de « prestige négatif » quand le changement intervient en direction d'une généralisation de formes empruntées à des couches peu prestigieuses, ou dont le prestige n'est pas reconnu au-delà d'un niveau local. Prestige global ou local, ce type d'explication a l'inconvénient d'être uni-directionnelle et de ne pas insister sur de possibles tensions (entre autres, celles opposant les dimensions de statut er de solidarité).

La question est posée de qui sont les premiers locuteurs à adopter l'innovation. Sont-ils caractérisables par l'âge (les jeunes), par le statut social (le prestige), ou s'agit-il de caractérisation externe de situations, comme la langue parlée en face-à-face opposée à l'écrit, comme le supposent souvent les théories linguistiques traditionnelles ? Les innovations linguistiques connaissent-elles le même fonctionnement que les autres innovations sociales ? Comment se répandent-elles à l'ensemble de la communauté (passage du niveau local au niveau global) ? Est-ce qu'il y a un privilège au contact direct, le face-à-face constituant le meilleur vecteur de transmission des innovations, et encore plus quand il est réitéré ? En ce cas, il faudrait s'attendre à ce qu'il soit exclu que des changements puissent être initiés à travers des médias culturels de masse ou des technologies (radio, télévision, chanson…).

Nous reviendrons sur certaines de ces questions dans le chapitre suivant, à propos des vernaculaires.

3. Enjeux sociaux de la transmission des normes

La sociolinguistique française, qui s'est longtemps montrée peu occupée d'expertise sociale (beaucoup moins que la sociolinguistique américaine par exemple), connaît une exception avec l'école, où elle est intervenue pour étudier la transmission des normes et du standard, et pour aider à comprendre l'échec scolaire et les phénomènes de violence verbale. Aussi cette réflexion est-elle tournée vers des différenciations sociales plus que vers le consensus.

3.1. La transmission des normes

La transmission des normes concerne l'écrit, l'oral et la conception de la langue. La prégnance de la culture de l'écrit permet de comprendre l'attitude des usagers envers l'oral ordinaire : assumant le présupposé idéologique selon lequel le standard est accessible à tout locuteur scolarisé, ils soupçonnent de manque d'éducation un locuteur qui ne s'y conforme pas.

3.1.1. Étude de cas. Hypothèses cognitives sur l'accès des enfants à l'écrit

Lahire (1993) pratique une observation prolongée de classe, qui vient compléter l'arsenal classique du sociologue que sont le dépouillement des statistiques et des Instructions Officielles, l'étude de copies d'élèves, et les entretiens avec les acteurs de l'enseignement (enseignants, parents, élèves). Son but est entre autres de comprendre la diffusion des normes à travers les dysfonctionnements du système. Ainsi, en (4), l'élève ne comprend visiblement pas ce qui est attendu de lui, et, se situant à un niveau pragmatique, il ne tient pas le discours métalinguistique hors contexte attendu par le maître :

(4) {à propos du verbe de la phrase *Laurent va chez l'orthophoniste*}
Maître : Qu'est-ce qu'il donne comme renseignement ?
Élève : Le renseignement c'est l'orthophoniste qui le donne {dit très sérieusement}
Maître : Non mais *dans la phrase* ? (p. 179)

(5) {comparant les séquences *la pluie ne tombe pas* et *elle ne tombe pas*}
Maître : Dans la deuxième [phrase] on ne sait pas qui c'est *elle*
Élève : Oui ! on sait, on voit les gouttes tomber (p. 178)

Les élèves de (4) ou (5), qui ne saisissent pas les requis métalinguistiques de la tâche scolaire, risquent de rencontrer des difficultés pour passer à l'écrit. Mais il faut aussi noter que l'enseignant en (4) ne semble pas comprendre que l'élève ne saisit pas du tout ce qui est attendu de lui.

Lahire cherche une explication cognitive aux difficultés différentielles des enfants (surtout enfants d'ouvriers *vs* enfants de classes moyennes) : les problèmes de lecture-compréhension que rencontrent les élèves des milieux populaires qui sont en difficulté seraient le signe que pour eux le langage fonctionne davantage dans l'usage interactif, en contexte et dans son efficace pratique. Les élèves contournent les savoirs scolaires en opposant à la logique attendue, systématique, réflexive, théorique, une logique contextuelle de bricolage, et des automatismes comme mode de résistance à la situation scolaire.

Remarque : La marge est étroite entre la reconnaissance d'une compétence sensible au contexte et le risque de présenter les enfants de la classe ouvrière comme mus par la seule efficacité pragmatique immédiate. Un prolongement de cette réflexion peut donc être une réflexion sur le caractère situé du raisonnement, et son adaptation aux situations.

3.1.2. Étude de cas. L'imposition scolaire de la norme orale

Dannequin (1977) a enregistré des moments de « classe de langage » en cours préparatoire, pour étudier la transmission d'attitudes linguistiques dans trois classes parisiennes. Elle a aussi bavardé avec les enfants après la classe, sans imposer de thème et sans corriger, pour dégager *a contrario* la langue de la classe. Dans deux des classes, les enfants sont en majorité d'origine populaire.

L'usage du langage à l'école s'avère très différent de la production ordinaire. Le maître ne dit pas ce qui est attendu des élèves, il ne dit pas que peu importe ce qu'ils disent du moment qu'ils le disent « bien » – d'où des malentendus sur les attentes (contenu *vs* conformité de la forme ou de la métalangue). Étant données les tâches proposées (raconter une histoire qui vient d'être lue, décrire une image que tous ont sous les yeux), il n'y a pas d'enjeu communicatif. Les questions rhétoriques du maître ne créent guère de motivation à communiquer, et l'enfant parle pour montrer qu'il sait parler ou pour faire plaisir au maître.

Il y a beaucoup d'occasions pour le maître de rejeter les réponses : manque de réflexion, phrase incomplète, tournure populaire, erreur morpho-syntaxique, choix lexical imprécis ou inadéquat, débit précipité, rupture de construction… Le maître traite l'enfant comme un vide linguistique à remplir par le standard, enseigné comme une langue étrangère. Les énoncés sont partagés sur des bases esthétiques et morales (*beau/vilain* ; *bien/mauvais* ; *on dit/on ne dit pas*) :

(6) vous réfléchissez pour parler bien comme il faut, ne pas dire n'importe quoi

(7) je donne un bon point aux petites filles qui font de belles phrases

(8) est-ce que quelqu'un peut le dire autrement ? le dire mieux ? dire quelque chose de plus joli ?

Les classes de langage permettent mal de repérer les difficultés linguistiques des enfants, les productions devant se couler dans le moule de phrases courtes et simples (suivant la structure sujet-verbe-objet). Les difficultés que l'entretien permet de repérer (usage des temps et des adverbes, séquences longues, cohérence de référence, respect de la séquentialité), ne sont visées ni par les exercices, ni par la plupart des corrections. Cette activité a de fait pour objectif l'assimilation de la norme, avec pour effet l'intériorisation d'attitudes normatives comme en (9) :

(9) *élève 1* : ouais
élève 2 : on dit pas *ouais* on dit *oui*
élève 1 : moi j'sais dire les deux
élève 2 : ici on dit *oui* (p. 145)

Remarque : Bien que cette observation de classe date d'environ trente ans, il ne semble pas que les choses aient beaucoup changé : Boutet (2002) rapporte des observations similaires dans des classes parisiennes aujourd'hui.

3.1.3. Outil d'analyse. La valeur identitaire du non-standard

Comment se fait-il que les locuteurs continuent à faire des fautes, alors que, avec la scolarisation, tous savent ce qu'est « bien parler » ? L'école s'interroge peu sur la signification que le standard revêt pour l'enfant, en prenant pour acquis qu'il souhaite l'acquérir, sans dire en quoi il est désirable. La signification du vernaculaire est au contraire au cœur de l'enquête britannique de Cheshire & Edwards (1993), qui veut faire réfléchir maîtres et élèves sur le rapport entre standard et langue ordinaire, en tirant parti de ce que les enfants arrivant à l'école sont des locuteurs déjà experts, même si leurs productions sont dévaluées.

Les résultats concernent d'abord les corrections portant sur les formes régionales et/ou stigmatisées : nombreux sont les enfants qui montrent une grande confusion quant à ce qui est correct (ils se souviennent de la correction, non de son contenu). L'étude a permis de réfléchir à l'expression « talking proper » (*bien parler, parler comme il faut…*) : la plupart des enfants sont conscients de la tension entre exigences du standard et vernaculaire du groupe de pairs. Un deuxième volet de l'enquête concerne les attitudes envers les formes régionales et les jugements des enfants sur leur façon de parler, qui montre leur loyauté envers l'identité locale.

Remarque : On ne peut que se demander si l'on aurait obtenu des résultats comparables en France (en particulier pour le rapport aux langues régionales), et si quelque chose est en train de se modifier dans l'appréhension de la norme/des normes, de la part de jeunes, et de la part de l'école, au-delà de la dénégation maintenue de la diversité. Voir aussi le chapitre 6, 2.1.2. sur la transmission du diaphasique.

3.2. Réflexions sociolinguistiques sur l'échec scolaire

Avec la réflexion sur l'école, les sociolinguistes ont dépassé la relation fondatrice avec le phonique, les problèmes de didactique de la langue concernant aussi la syntaxe et le discours. La réflexion sur la langue en usage rejoint les questions autour de l'inégalité des chances, jusqu'à l'élaboration même de la notion d'échec scolaire. Pourquoi une telle différence de réussite d'enfants d'origines sociales différentes ? Quelle est la part de la maîtrise linguistique dans la réussite et dans l'échec ? Y a-t-il une corrélation entre les productions linguistiques et les capacités cognitives en jeu dans la réussite scolaire ? Quelle langue enseigner ? Faut-il accorder une place aux pratiques non standard et multilingues ? La demande sociale va renforcer l'intérêt pour les données vernaculaires.

3.2.1. Outils d'analyse. Les deux codes et la sociabilisation

Le sociologue de l'éducation britannique Basil Bernstein (1977) cherche à comprendre l'ordre social par la formation sociale qui oriente les locuteurs vers deux codes antagonistes et deux modes d'organisation discursive, le code élaboré (formation sociale centrée sur la personne) et le code restreint (centré sur le statut du locuteur). Les enfants des couches moyennes sont, par culture familiale, socialisés dans les deux codes, qu'ils apprennent à moduler selon les situations, alors que les échanges dans les milieux défavorisés s'effectuent plutôt en code restreint. L'école se déroulant en code élaboré, les enfants des couches moyennes s'y trouvent d'emblée plus à l'aise ; aussi ceux des couches populaires sont-ils davantage touchés par l'échec scolaire.

Mais jamais ne sont présentées des productions longues authentiques, seulement des prototypes dichotomiques reconstruits. Bernstein effectue des décomptes de catégories qui relèvent davantage de la rhétorique et des poncifs de belle langue que de l'élaboration discursive : complexité des formes verbales, nombre de prépositions ou conjonctions « recherchées », décompte de subordonnées, présence de passifs, ou encore nombre de mots rares.

Avec des hypothèses proches de celles de Bernstein, Hasan (1989) fait une analyse sémantique du « discours ordinaire quotidien » que des mères tiennent à leur enfant. 24 mères d'enfants des deux sexes entre 3,6 et 4,2 ans ont enregistré des interactions quotidiennes en tête-à-tête avec leur enfant à différents moments, sans les solliciter pour l'enregistrement. Hasan recueille ainsi une centaine d'heures d'enregistrement, de mères de classe moyenne et de classe ouvrière. Son hypothèse concerne la diversité des significations véhiculées (pour des actes de langage nécessairement très semblables, comme ceux qui accompagnent les soins du corps), dont elle teste la corrélation avec le profil social des mères. Elle compare les modalités d'argumentation, qu'elle trouve davantage tournées vers la personne pour les premières, vers le statut et la position pour les deuxièmes (les exemples (10) et (11) sont des reconstitutions prototypiques) :

(10) mon petit chéri / tu veux pas faire plaisir à ta maman
(11) quand ta mère te dit quelque chose tu dois obéir

Remarque (Bernstein) : Cette théorie, interprétée en France dans les termes de l'éducation compensatoire, a donné prise à des critiques sur l'association entre catégories sociales/cognitives et catégories linguistiques. Considérant que les enfants qui réussissent à l'école produisent des énoncés longs et complexes, on a voulu provoquer de telles productions, ce qui s'est avéré n'avoir que peu d'effets sur les productions en contexte. Cependant, la question du linguistique et du langagier dans la socialisation de l'enfant est reprise aujourd'hui, et l'apport de Bernstein est peu à peu réévalué.

Remarque (Hasan) : Malgré le défaut de ne jamais présenter d'échantillon authentique (ce qui est surprenant, étant donné le nombre d'heures enregistrées), cette analyse a l'intérêt d'explorer la transmission des normes au sein de la famille, instance de socialisation qui précède l'école.

3.2.2. Outils d'analyse. École et socialisation de groupe

Dans les années 1960, Labov a été chargé d'étudier l'échec scolaire massif des enfants noirs de New York, ce qui le conduit à observer la langue des jeunes dans le ghetto de Harlem (1972a et b). Les repères sociologiques traditionnels s'avérant impuissants face à la culture de rue, il recourt à l'observation participante, et ce sont des jeunes gens noirs du ghetto qui jouent les intermédiaires culturels, en partageant les activités quotidiennes des adolescents. Labov (1972b) a ainsi pu montrer leur remarquable habileté verbale dans une culture de l'espace public, de la rue ou de la bande, qui s'investit peu dans les programmes scolaires.

Dans un article paru en français en 1993, il souligne l'impact de la socialisation des enfants en groupes de pairs, qui inhibe toute chance d'adhésion positive au modèle de l'école. Il relie ainsi les difficultés en lecture rencontrées par les adolescents noirs à leur rejet de l'école sous la pression du groupe, elle-même fruit de l'organisation urbaine américaine et de l'urbanisation en ghettos. On touche alors aux limites de l'intervention du linguiste, le moment où le langagier croise les inégalités sociales et les discriminations, où le sociolinguiste est confronté à des questions politiques.

Remarque : Ces problèmes sont d'actualité en France aujourd'hui, avec l'impact, sur la façon dont un enfant perçoit l'école, de la socialisation en groupes de pairs : on a parlé de « tribalisation de l'échec », rejet de l'école et de l'effort scolaire où certains élèves cherchent à entraîner leurs pairs.

3.2.3. Étude de cas. La classe et la violence verbale

Moïse (2004) a étudié dans des classes des montées en tension qui débouchent sur de la violence verbale. Après avoir observé un grand nombre d'interactions en classe (interactions maître-élèves et élèves-élèves), elle fait l'archéologie de ces moments de montée de violence verbale, des premiers germes à l'explosion, et montre que la violence est davantage liée à des ruptures de rituels conversationnels qu'à des usages lexicaux ponctuels (insultes, injures, grossièretés), quand la parole ne parvient plus à se faire médiatrice d'une communication négociée. L'organisation des interactions en classe rend toute négociation verbale difficile, le public des élèves tendant à appeler « un gagnant et un perdant ». Elle montre le rôle des catégorisations pré-constituées, aussi bien du côté de l'enseignant que des élèves, qui amènent l'enseignant à ne pouvoir jouer que de sa position d'autorité, comme en (12) :

(12) *Enseignante* : on se tait c'est tout ce qu'on vous demande

Conclusion

Une sociolinguistique féconde devrait pouvoir faire du sociolinguistique un marqueur valide à la fois pour le social et pour le langagier, devenant ainsi producteur de nouvelles connaissances, aussi bien des deux côtés. Pour cela, il faut aller au-delà de la problématique de mise en rapport qui a été aux fondements de la sociolinguistique, entre du social et du linguistique, pour lui substituer une problématique de complémentarité forte, où se trouvent associées certaines propriétés du social et certaines propriétés du linguistique. Celle-ci pourrait conduire à une certaine façon d'aborder les questions de l'identité, sans avoir à les penser comme pré-catégorisées. Une telle perspective devrait aussi prendre en compte la relation entre catégories étiques instituées par l'expert et perception indigène émique, et la tension entre contrôle formel ou informel sur les normes sociales et langagières.

Pour aller plus loin

1. Pour les « facteurs externes » dans le changement, Labov 2001. Pour le social et le socio-démographique comme objet de réflexion sociolinguistique, Chambers 1995, ouvrage malheureusement peu axé sur le français. Conein 1992 sur les groupes de pairs, Williams 1992 et Gueunier 1998 sur les réticences des sociologues envers la sociolinguistique, et J. Milroy 1992 pour l'utilisation ordinaire d'un terme comme « prestige ». Pour la difficulté de définir « contexte », Clark 1992, Mondada 1998b ; pour « marché linguistique » et « domination symbolique », Bourdieu 1982 et 2001 ; pour les réseaux sociaux, Granovetter 1973, Milroy 1980 et Lazega 1998. L'exemple du français de l'Ile du Prince Édouard provient, *via* Chambers 1995, de la sociolinguiste canadienne Ruth King. Boutet 1994 pour la construction sociale du sens dans les discours, Gülich & Mondada 2001 pour la saisie des effets dans la conversation, et Jeanneret 1999 pour la co-énonciation.

2. La méthodologie variationniste pour l'étude du changement dans Labov 1972 a et b et la plupart des introductions à la sociolinguistique. Des études variationnistes sur le français chez Coveney 2002, Ashby 1991 et Armstrong 2001. Berrendonner 1982 pour la critique de la variation vue comme association externe. Weinreich *et al.* 1968 pour les questions sociolinguistiques sur le changement, et Sperber 1996 sur la diffusion des innovations. Woolard 1985 pour un retour sur plusieurs concepts relationnels, reconsidérés dans une perspective d'hégémonie idéologique (en particulier l'opposition entre statut et solidarité).

3. Sur la langue et l'école, Genouvrier 1972, François 1983, Boutet 2002. Sur l'échec scolaire et le « handicap linguistique », les articles de Blanche-Benveniste, Jeanjean, et Dannequin *in* CRESAS 1978, et Gueunier 2001 ; Lahire 1993 pour la constitution de la notion d'échec scolaire à partir de la démocratisation de l'enseignement. Un bilan de la participation des linguistes au débat sur l'échec scolaire dans Charlot *et al.* 1992. Moïse 2002 sur l'émergence d'une sociolinguistique urbaine, qui poserait différemment la relation entre social et langagier, et 2004 sur la gestion par l'école de la violence verbale.

ASHBY W., 1991, « When does Variation Indicate Linguistic Change in Progress ? », *Journal of French Language Studies*, 1, 1-19.

BERNSTEIN B., 1977, *Langage et classes sociales*, Paris, Ed. de Minuit.

BOUTET J., 1994, *Construire le sens*, Bern, Peter Lang.

BOUTET J., 2002, « "I parlent pas comme nous". Pratiques langagières des élèves et pratiques langagières scolaires », *Ville-École-Intégration Enjeux* 130, 163-77.

CHAMBERS J., 1995, *Sociolinguistic Theory : linguistic variation and its social significance*, Oxford, Blackwell.

CHARLOT B., E. BAUTIER & J.-Y. ROCHEX, 1992, *École et savoir dans les banlieues… et ailleurs*, Paris, Armand Colin.

CHESHIRE J. & V. EDWARDS, 1993, « Sociolinguistics in the classroom : exploring linguistic diversity », *in* J. & L. Milroy Eds, *Real English*, London and New York, Longman, 34-52.

CLARK H., 1992, *Arenas of Language Use*, Chicago University Press.

CONEIN B 1992 « Hétérogénéité sociale et hétérogénéité linguistique », *Langages* 108, 101-13.

C.R.E.S.A.S., 1978, *Le handicap socio-culturel en question*, Paris, Ed. ESF.

DANNEQUIN C., 1977, *Les enfants bâillonnés*, Paris, CEDIC.

FRANÇOIS F., 1983, « Bien parler ? Bien écrire ? Qu'est-ce que c'est ? », *in* F. François (dir.), *J'cause français, non ?*, Paris, La Découverte-Maspéro, 11-36.

GENOUVRIER E., 1972, « Quelle langue parler à l'école ? Propos sur la norme du français », *Langue française* 16, 34-51.

GRANOVETTER M., 1973, « The strength of weak ties », *American Journal of Sociology* 78, 1360-80.

GUEUNIER N., 1998, « Brumes sur la sociolinguistique », *in* J. Billiez (dir.), *De la didactique des langues à la didactique du plurilinguisme*, Grenoble, CDL-LIDILEM, 175-8.

GUEUNIER N., 2001, « Le français “de référence” : approche sociolinguistique », *Cahiers de l'institut de linguistique de Louvain* 27, 1-2, 9-33.

HASAN R., 1989, « Semantic Variation and Sociolinguistics », *Australian Journal of Linguistics* 9, 221-75.

JEANNERET T., 1999, *La co-énonciation en français*, Berne, Peter Lang..

LABOV W., 1993, « Peut-on combattre l'illettrisme ? Aspects sociolinguistiques de l'inégalité des chances à l'école », *Actes de la recherche en sciences sociales* 100, 37-50.

LABOV W., 2001, *Principles of Linguistic Change : External Factors*, Oxford, Blackwell.

LAHIRE B., 1993, *Culture écrite et inégalités scolaires. Sociologie de « l'échec scolaire » à l'école primaire*, Lyon, PUL.

LAZEGA E., 1998, *Réseaux sociaux et structures relationnelles*, Paris, PUF, Que sais-je ?

MILROY J., 1992, « Social networks and prestige arguments in sociolinguistics, *in* K. Bolton & H. Kwok Eds, *Sociolinguistics*, London & New York, Routledge.

MILROY L., 1980, *Language and Social Networks*, Oxford, Basil Blackwell.

MILROY L. & J. MILROY, 1992, « Social network and social class: Toward an integrated sociolinguistic model », *Language in Society* 21, 1-26.

MOÏSE C., 2002, « Pour quelle sociolinguistique urbaine ? », *Ville-École-Intégration Enjeux* 130, 75-86.

MOÏSE C., 2004, « Postures sociales, violence verbale et difficile médiation », *in* R. Delamotte-Legrand (Dir.), *Les médiations langagières*, Presses de l'Université de Rouen, 335-49.

MONDADA L., 1998b, « Variations sur le contexte en linguistique », *Mélanges offerts à Morteza Mahmoudian, Cahiers de l'ILSL* n° 11, Lausanne, 243-66.

SANKOFF D. & S. LABERGE, 1978, « The Linguistic Market and the Statistical Explanation of Variability », *Linguistic Variation*, D. Sankoff (ed.), New York, Academic Press.

SPERBER D., 1996, *La contagion des idées*, Paris, Odile Jacob.

WEINREICH U., W. LABOV & M. HERZOG, 1968, « Empirical Foundations for a Theory of Language Change », in W. Lehmann & Y. Malkiel (Eds), *Directions for Historical Linguistics*, Austin, University of Texas Press, 95-195.

WILLIAMS G., 1992, *Sociolinguistics. A sociological critique*, London and New York, Routledge.

Chapitre V
VERNACULAIRES

Les vernaculaires, façon de parler ordinaire entre égaux linguistiques, offrent le triple intérêt de montrer comment les gens parlent dans la vie courante ; d'ouvrir sur des questions d'identité, puisqu'ils sont produits par des locuteurs qui en usent dans des circonstances ordinaires, tout en ayant une connaissance au moins passive d'autres registres et du standard ; et de fournir des hypothèses sur le changement intervenant par les échanges oraux quotidiens.

Mais le fait de les décrire comme des variétés prolonge la conception de langue homogène dont ils constitueraient des écarts, et reproduit les présupposés de l'idéologie du standard. Outre que ce n'est pas forcément la meilleure représentation de la langue, un tel schéma se trouve aussi ébranlé par l'actuelle diversification des pratiques, et par les contacts de langues qui conduisent à des hybridations linguistiques.

1. Non-standard : le « français populaire »

Les documents manquent pour retracer une histoire des vernaculaires. Pour l'écrit, parce qu'il est rare que les écrits de vie quotidienne soient longuement conservés, et pour l'oral parce qu'il n'y a guère que depuis les années 1950 que les appareils d'enregistrement permettent de fixer des interactions spontanées ordinaires.

1.1. Les formes linguistiques jugées non standard

Est-il possible de caractériser linguistiquement le non-standard ? Peut-on le décrire autrement que comme un démarcage du standard ? On sait que les choix opérés par la standardisation ne reposent pas sur des sélections répondant à une logique linguistique, mais sur des rejets, dont le ressort est de nature culturelle et idéologique.

1.1.1. Les formes diversifiées par la variation

C'est de façon négative que se laisse le mieux délimiter le standard : il n'est ni le français régional, ni l'oral, ni le populaire, et il prétend à la neutralité devant les genres discursifs.

La localisation de référence demeure le français de France, celui de Paris et du nord de la France : au-delà de l'élimination des patois, les formes de français régionalement marquées (de France et hors de France) ont ainsi été marginalisées. Elles le sont pourtant moins que les variétés diastratiques, qui font peu l'objet de désignations ordinaires, contrairement aux variétés régionales, souvent dénommées par leurs locuteurs ; et la stigmatisation diastratique est encore plus forte que la marginalisation de l'expression diatopique (région ou ruralité).

Parmi les langues, le français apparaît historiquement situé vers un pôle extrême d'un continuum d'idéologie d'uniformité. La standardisation ayant pris la forme d'une réduction de la variation, elle fonctionne sur des exclusions tendant à n'admettre qu'un seul usage comme correct. Elle ne sélectionne cependant pas les variantes de façon systématique et cohérente, et fourmille d'assortiments hétéroclites, d'exceptions, d'alternances irrégulières. Face à la variation, les différents niveaux d'analyse linguistique ne sont pas égaux : elle est admise pour le lexique, tolérée dans le phonique (sous des formes modérées toutefois) ; mais en grammaire, peu de divergence est acceptée, et si une forme n'est pas standard, elle est regardée comme une faute (encore plus en morphologie qu'en syntaxe).

La standardisation étant un processus prenant l'écrit comme idéal, ce n'est que tardivement qu'est mise en place l'idée de standard oral. Une autre dimension exclue de la représentation standard est la diversité des genres discursifs, dissimulée sous une homogénéité proclamée qui atteint même la distinction oral/écrit. L'affinité entre certaines formes linguistiques et certains genres discursifs est négligée, ce qui nourrit le mythe de l'universalisme. Comme ce ne sont pas tout à fait les mêmes activités que pratiquent les locuteurs de différentes classes sociales, cette négligence des genres risque de conduire à donner comme des caractéristiques de variétés diastratiques non standard ce qui est lié à un genre discursif ou à un contexte.

1.1.2. Outil d'analyse. Standard et marginalisation du corps

En tentant de caractériser d'un point de vue de langue les formes exclues par la norme, Stein (1997) étudie les principes de filtrage qui ont présidé à la sélection. Il fait l'hypothèse qu'il faut qu'une forme se distingue non seulement *visiblement* mais même *audiblement* (par les aspects graphiques aussi bien que phoniques) des formes parlées. À l'oralité qui passe par le son, l'interaction et l'absence d'autonomie par la dépendance du contexte immédiat, est opposé l'univers de l'écrit. Et même parmi les formes écrites, celles qui apparaissent trop proches de l'oralité (par leur forme, leur signification triviale, ou leur sensibilité à l'interaction) sont marginalisées. Un autre aspect, lié au mépris des activités autres qu'intellectuelles, est l'évacuation des significations trop affectives (manifestant un engagement du producteur dans l'interaction), ce qui prend la figure d'un contrôle sur ce que l'oral peut avoir d'indéterminé, qui justement permet la plasticité et l'ajustement dans l'interaction.

Toutefois, les locuteurs opposent des conduites de résistance passive à l'imposition du standard, en instaurant ou en conservant des distinctions qu'ils savent fort bien être non standard. Le standard se présente donc comme un lieu de tensions sans fin, et non comme un processus uni-directionnel, que ce soit par imposition des usages d'une institution ou des locuteurs dominants, ou par aspiration des locuteurs dominés.

Remarque : Stein travaille sur l'anglais, mais les deux processus de construction du standard et de résistance des locuteurs sont des universaux de la standardisation, et donc très semblables en français, où l'on assiste à un maintien vernaculaire de distinctions peu standard, comme *son livre à lui* qui précise le sexe du possesseur, ou *vous autres*, forme tonique répandue dans plusieurs français périphériques (entre autres, Belgique et Canada).

1.2. Le français populaire : plan phonique

Le terme de « français populaire » est apparu tardivement (XIXe siècle), pour désigner un ensemble de traits stigmatisés, constitué en variété et rapporté aux locuteurs des couches populaires.

1.2.1. Étude de cas. Un précurseur

La tradition a retenu Bauche (1920) comme le premier auteur à consacrer au français du peuple une étude revêtant plus ou moins la forme d'une grammaire, rompant ainsi avec les épinglages hétéroclites et sporadiques de la fin du XIXe siècle. Bauche n'était ni grammairien ni linguiste, il était juste animé d'un goût ethnographique, qu'il expose dans sa préface en évoquant ses pratiques de notation à la volée. Son ouvrage (au sous-titre *Grammaire, syntaxe et dictionnaire du français tel qu'on le parle dans le peuple de Paris, avec tous les termes d'argot usuel*) est en fait une énumération peu structurée de traits, sans souci d'une organisation de langue. Il a néanmoins ainsi le mérite d'attirer l'attention sur un objet longtemps négligé des linguistes, et certains de ses exemples, même pris avec précaution, constituent un témoignage historique intéressant, comme (1), qui concerne la prononciation :

(1) aor, pa, tu i (d)i (d)o-moi (l)a (l)èt, h'é moi (q)eù j(l)a po(r)te au (p)a(tr)on (alors, n'est-ce pas, tu lui dis donne-moi la lettre, c'est moi qui la porte au patron)

Remarque 1 : Les parenthèses signalent des consonnes prononcées faiblement, et la « traduction » est de Bauche.

Remarque 2 : Il y a lieu de critiquer la méthode de Bauche, ses notations de hasard dissimulant la fréquence des phénomènes, avec le risque de surévaluer certaines formes et d'épingler des curiosités. Cependant, peut-on lui reprocher de ne pas s'être servi d'un magnétophone en 1920 ? C'est désormais sur la base des relevés de grands corpus qu'il faut étudier l'importance statistique des phénomènes, les contraintes et les concordances.

1.2.2. Étude de cas. Accent populaire et posture de corps

Léon (1973) s'interroge sur les « accents sociaux » : comment et pourquoi tel groupe a-t-il privilégié telle variante ? Les locuteurs du 16e arrondissement de Paris auraient-ils pu avoir l'accent des faubourgs, et inversement ?

Léon décrit l'adoption d'un « accent parisien faubourien » par des locuteurs d'un village de Touraine, à travers quatre traits phoniques : affaiblissement des consonnes intervocaliques, postériorisation de l'articulation, pharyngalisation du *r*, et accentuation de la pénultième avec montée mélodique et durée. Ceux qui font un large usage de ces traits sont de jeunes hommes, de milieu ouvrier et d'attitude revendicatrice ; ils les accentuent dans certaines circonstances publiques (par exemple au bistrot), les atténuent au contraire dans d'autres (échanges familiaux). Léon propose d'interpréter ces traits à travers une hypothèse de « base pulsionnelle de la phonation », où ils lui semblent exprimer l'effort pour faire masculin, le rejet de l'autre, enfin la métaphore de la gouaille et de l'exagération.

Remarque : Malgré le risque du stéréotype, Léon ouvre ici la réflexion dans deux directions majeures : celle du symbolique et de la charge identitaire investissant les façons de parler dans la tenue de corps, et celle des modalités de diffusion des innovations. La première direction sera développée en particulier chez Eckert 2000, la seconde dans les travaux de Labov.

1.3. Morpho-syntaxe du français populaire et simplification

Les thèmes de la simplicité et de la simplification, malgré le risque des surinterprétations idéologiques, ont souvent été avancés pour illustrer la différence entre standard et populaire, et ce dans toutes les langues de culture.

1.3.1. Outil d'analyse. Populaire et simplification

L'idée de simplification comporte l'inconvénient de s'inscrire dans une hypothèse de prééminence linguistique du standard, dont le non-standard ne serait qu'un avatar. Pour en tester la validité, Berruto (1983) passe au crible 24 traits morpho-syntaxiques et 4 traits lexico-sémantiques dits typiques de l'italien populaire, et se demande s'ils constituent une simplification par rapport aux formes standard.

Il s'avère que seule environ la moitié d'entre eux peut à coup sûr être comprise comme de la simplification, ce qui est évidemment insuffisant pour asseoir l'hypothèse. Berruto conclut que la persistance de variétés populaires ne peut avoir pour ressort formel une recherche de la simplicité ; d'autant moins que parmi les formes stigmatisées, certaines s'avèrent relativement complexes (par exemple, certaines relatives et interrogatives). À côté de traits interprétables comme des simplifications, d'autres apparaissent comme des marques d'expressivité ou comme des interférences dialectales, et il faut plutôt considérer que c'est la version standard de la langue qui apparaît construite comme délibérément complexe et élaborée.

Remarque : Étant donnés les phénomènes étudiés par Berruto, sa démonstration s'applique bien au français. On ne sera pas étonné que sa conclusion récuse la possibilité d'un principe explicatif unique de la langue populaire, et on rapprochera cette réflexion de celles de Kroch (chapitre 3) et de Lodge 1999 (voir plus bas).

1.3.2. Étude de cas. Populaire et complexité syntaxique

Auvigne & Monté (1982) étudient, des deux points de vue de la syntaxe et du discours, 15 heures d'enregistrements d'une locutrice peu scolarisée participant à un programme d'aide à l'expression de l'association ATD Quart-Monde. Elles se demandent si les lacunes linguistiques manifestes relèvent de la conception des idées ou de la seule expression, par manque ou inadéquation d'outils linguistiques. Une première étape classe les propositions enchâssées en 1) nombreuses (complétives, infinitives, causales introduites par *parce que*, finales en *pour* + inf, relatives, à 85% en *qui*) ; 2) peu nombreuses (temporelles et hypothétiques toujours au présent) ; 3) absentes (oppositives).

Mais un tel classement apparaît insuffisant, car rien n'indique que l'absence d'une forme équivaudrait à l'ignorance cognitive du rapport logique qu'elle présente. Les auteurs prennent donc l'option d'étudier tous les points qui font difficulté par rapport à une expression standard, en distinguant ceux qui ne font que connoter péjorativement un discours et ceux qui atteignent la compréhension même, comme le contrôle du sujet dans l'infinitive de (2), le système des temps-modes-aspects, les anaphores à cause desquelles la communication risque d'être troublée quand il y a accumulation de décalages comme en (3) :

(2) on ira à la préfecture pour vous donner un autre logement
(3) ta mère i peut pas t'en occuper (= s'occuper de toi)

La seule caractérisation qui leur semble ressortir nettement est « l'instabilité des constructions » : « Il n'y a aucune construction qui ne fasse pas problème à un moment ou à un autre ; il n'en est non plus aucune qui ne soit pas bien employée au moins une fois » (p. 41).

Remarque 1 : Cette étude s'oppose au stéréotype de déprivation linguistique des couches populaires. Pour les auteurs, l'effet « populaire » ne relèverait pas d'une liste de phénomènes. Seules l'instabilité et l'accumulation pourraient en constituer des indices, mais le fait qu'en deçà d'un certain seuil, les difficultés sont peu ou pas du tout perçues par l'interlocuteur, inviterait plutôt à renoncer à tenter de définir le populaire.

Remarque 2 : On peut discuter la méthode adoptée, fondée sur un seul type de contexte, de plus assez peu spontané et même pouvant constituer un espace d'insécurité pour la locutrice, même s'il y a familiarisation avec le formateur.

1.4. Le lexique populaire

Outre la prononciation et l'intonation, le lexique est un aspect très saillant pour évaluer un discours comme non standard, le français se caractérisant par des doublets entre standard et familier (*voiture/bagnole, argent/fric, maison/baraque, livre/bouquin*…), redoublés pour certaines zones de termes argotiques. Cette caractéristique fait tendre le français vers la diglossie.

1.4.1. L'argot traditionnel

Les pratiques argotiques, de transgression et de contre-légitimité, apparaissent très répandues dans les langues. En français de France, le statut de l'argot s'est peu à peu modifié depuis son explosion sociale au XIXe siècle, avec un élargissement de sa base de locuteurs, même ceux qui ne l'emploient pas en ayant une certaine connaissance ; ce qui contribue à affaiblir la distinction classique entre argotique et familier. La question concerne moins les « argots de métier », marqueurs identitaires de groupes fermés (lycéen, militaire, professionnel).

Au plan formel comme au plan sémantique, l'argot recourt aux mêmes procédés de créativité que la langue commune. Au plan formel, suffixation parasitaire et troncation finale (*assoce* pour *association*), plus rarement initiale. Les accidents phonétiques ne sont pas rares, comme dans toute variété de transmission orale. L'argot « recycle » souvent des termes anciens, qu'il modifie superficiellement, en particulier par la suffixation (*valise*, *valoche, valtreuse*). Les créations sémantiques reposent sur la métaphore (*se dégonfler* pour *renoncer*), les séries synonymiques, le calembour et les remotivations étymologiques, les mots expressifs (suffixes dépréciatifs, métaphores ironiques), et l'expression concrète de termes abstraits (*avoir de l'estomac, quelqu'un dans le nez*…) ; enfin, les emprunts, par exemple à l'arabe depuis la colonisation de l'Algérie (*kawa*, *clebs*, *fissa*). Certaines zones du lexique d'usage fréquent offrent non des dichotomies, mais des séries : la *voiture* peut être dite *chiotte*, *tire*, *caisse*, *tacot*, *bagnole*, *auto*…

1.4.2. Étude de cas. Lexique populaire et mode de sociabilité

Lodge (1999) cherche à comprendre la persistance en français d'un lexique non standard largement répandu, en adoptant un point de vue pragmatique et sociolinguistique. Critiquant les corrélations habituellement établies avec la position sociale (ainsi que des dispositions plus ou moins dépréciatives prêtées aux locuteurs, par nature, par mode de vie ou par formation), il se propose de regarder les caractéristiques non standard en rapport avec les interactions ordinaires et les modalités de socialisation. Ainsi, ce qui a pu être décrit comme recherche du moindre effort peut aussi s'entendre comme stratégie d'affirmation d'une sociabilité axée sur la proximité et la solidarité (mise en avant de connaissances partagées et de complicités) ; ou bien, l'expressivité accentuée et figurée est aussi la recherche d'une connivence à travers le dénigrement, l'exagération et le rire, tout en permettant de resserrer la cohésion du groupe.

> **Remarque :** L'auteur sort ici d'une attitude sociolinguistique classique : plutôt que de lier les particularités linguistiques au social, il les rattache aux modalités d'interaction et au diaphasique. Il met ainsi en avant le thème de l'organisation sociale sur une base de solidarité, que l'on peut regarder comme une manifestation de résistance passive envers l'imposition du standard.

2. Non standard : la « langue des jeunes »

Y a-t-il lieu d'opposer, au français populaire traditionnel, une « langue des jeunes » ? Comment la caractériser ? Par les formes linguistiques, par les catégorisations sociales, ou seulement par l'âge des locuteurs ? Enfin, qu'en est-il des deux vis-à-vis du changement ?

2.1. Un objet aussi difficile à cerner qu'à dénommer

La dénomination même de « langue des jeunes » est problématique, car la catégorisation purement démographique dissimule une question sociale, voire ethnique.

Les termes en vigueur sont en général peu satisfaisants, presque tous empruntés aux médias (langue/langage/parler des ados/jeunes/cités/banlieues, parler caillera…). De tous temps, et dans toutes les cultures, les adolescents se distinguent des enfants et des adultes, par un recours accentué au vernaculaire et des pratiques spécifiques, comme les codages (javanais, langue de feu, verlan aujourd'hui), ou les rituels comme les vannes ou les joutes oratoires. Si des usages propres aux jeunes ont de longtemps pu être observés, il est récent qu'ils soient regardés comme constituant un sociolecte, devant l'émergence d'un nouveau statut économique et social pour les plus défavorisés d'entre eux : prolongation de l'adolescence par la dépendance économique, émergence comme force de consommation, difficile entrée sur le marché du travail, chômage, discrimination ; le tout sur fond de progressive ghettoïsation urbaine, qui exacerbe ou dilue le sentiment identitaire.

Par comparaison à la langue populaire, la langue des jeunes soulève donc des questions, qui se présentent de façon paradoxale : on leur prête un rôle d'initiation des changements, alors que leurs façons de parler sont stigmatisées, particulièrement instables et en constant renouvellement.

2.2. Langue des jeunes : plans des formes

Sur le plan formel, peu de phénomènes spécifiques se manifestent, sauf dans les fréquences.

2.2.1. Plans phonique et grammatical

Pour le phonique, les phénomènes sont ici présentés du plus au moins spécifique :

– phénomènes suprasegmentaux : intonation, rythme, accentuation sur la pénultième et non sur la finale ;

– prononciation de consonnes : réalisation glottalisée de /r/, affrication des plosives vélaires et dentales en position prévocalique, qui a pu conduire par exemple une bande dessinée à représenter *enculé* en *entchoulé* ;

– le verlan a pour effet de multiplier les syllabes en [œ] (*keuf*, *meuf*, *relou*), ce qui modifie l'apparence phonique de la langue ;

– le *e* muet prépausal est jeune, mais pas typique des cités (voir chapitre 3, 3.2.2.) ;

– d'autres phénomènes (effacement des liquides après consonne et du *e* muet, rareté des liaisons facultatives, avancement de [o] en [œ], faiblesse des consonnes intervocaliques), sont des traits non standard en général.

Pour le grammatical, on a pu signaler des traits dont seuls les deux premiers sont vraiment typiques des jeunes :

– formes verbales non conjuguées, soit qu'elles ne le soient jamais, comme *bédav* (fumer) ou (4), soit que la morphologie soit dissimulée dans les formes verlanisées (de (5) à (8)) ; de même, *secaoit* (casse-toi) n'exhibe ni l'impératif ni la morphologie du pronom *toi* ;

– formules figées. Sur le modèle *riche de chez riche* emprunté à la publicité, on entend toutes sortes de *X de chez X* à signification superlative, comme en (9). D'autres formules sont supposées inspirées de l'arabe, comme (10) ou (11), ou de langues africaines, comme (12) :

(4) il a chourave de la bouffe
(5) j'ai pécho (chopé)
(6) tu me fais ièche (chier)
(7) je lèrega (galère)
(8) tèj (jeter) ; péta (taper) ; être vénère (énervé)
(9) ces chaussures / je les adore / mais elles sont plates de chez plates
(10) obligé tu viens (= il faut absolument que tu viennes)
(11) il va y aller bientôt / obligé
(12) il s'est fait cassé la gueule façon

– changements de construction, avec des verbes transitifs construits intransitivement : *il assure, ça craint* ;

– changements de catégories, comme *grave*, *trop* ou *genre* :

(13) il s'emmerde grave
(14) dis donc / comment j'ai grave envie d'un coca
(15) ce type / il est trop
(16) il nous a montré comme quoi le volley c'était un sport genre marrant pas complexé genre ou t'es canon en volley et tu viens ou t'es nul et tu vires

2.2.2. Études de cas. Groupe de pairs et changement

Des études assez nombreuses ont porté sur la prononciation des jeunes.

Laks (1983) a observé pendant une année dans une maison des jeunes à Villejuif un groupe de cinq jeunes d'origine modeste et de cursus scolaire médiocre. Il passe régulièrement du temps avec eux, partage des activités de loisir pendant lesquelles le magnétophone tourne en permanence, et pratique parallèlement des entretiens. Il étudie des indices phonologiques variables, en particulier la chute des liquides postconsonantiques finales [l] (*mets la tab*, *i vient*) et [r] (*ferme la fenet*). Si ce phénomène était simplement rapportable à l'appartenance de groupe, une population apparemment homogène ne devrait pas présenter de variation. Or, certaines différences échappent aux catégorisations générales et même à l'analyse en réseaux, puisque pour l'essentiel, les réseaux de ces jeunes sont très semblables. Laks établit par les indices phoniques l'existence de différences fines entre les membres du groupe, qu'il rapporte aux aspirations personnelles (trajectoire sociale).

Armstrong & Jamin (2002) effectuent une étude variationniste à la Courneuve, auprès de jeunes rencontrés dans des « maisons de quartier ». Ils croisent l'usage de deux traits typiques des banlieues, l'affrication des occlusives dentales et vélaires, et la glottalisation du *r*, avec quatre variables sociales et démographiques : sexe, classe sociale, origine ethnique et âge. Ces traits apparaissent davantage employés par les jeunes gens de 15-25 ans, encore plus intensément s'ils sont de milieu modeste, sont intégrés à la culture de rue, et se trouvent dans des situations de proximité communicative ; l'origine ethnique joue surtout pour la glottalisation du *r* (perçu comme en rapport à l'arabe). Les contextes concernés apparaissent en voie d'extension (ainsi l'affrication s'étend à la finale, par exemple à *donc*). Étant donné le caractère aujourd'hui stigmatisé de ces traits, on peut spéculer sur leur chance de diffusion au-delà du groupe initial : tout dépend de leur degré d'intégration dans la structure phonologique du français (qui donne des chances à l'affrication), et du pouvoir d'attraction des groupes qui en font usage (faible pour le moment).

Fagyal (à paraître) fait une étude phonétique pour tester la différence de façons de parler, entre jeunes d'origine européenne ou maghrébine. Elle établit des différences, en particulier dans le rythme irrégulier, et dans la réduction extrême des voyelles (ex. *chou-fleur* prononcé pratiquement *chfleur*), qui entraîne une perception de dominante consonantique. Elle fait l'hypothèse d'une influence du contact avec la « langue de l'héritage », l'arabe (même si ces jeunes ne maîtrisent en général pas totalement cette langue, elle fait partie de leur espace familial et souvent du groupe de pairs).

2.3. Langue des jeunes et lexique

Les traits spécifiques sont plus nombreux pour le lexique, mais les procédés demeurent ceux de la langue commune : emprunt, troncation, réduplication, métaphore, métonymie, codages :

– emprunt : à l'arabe (*kif*, *toubab*, blanc ou français de souche, qui peut être verlanisé en *babtou* et tronqué en *bab*), à des langues africaines (*go*, fille), à l'anglais (*au black*, *destroy*) ; termes tziganes (*marav*, battre) ou prétendus tels (*pourav*, puer, *graillav*, manger) ;

– troncation : l'apocope est fréquente (*biz* pour bizness), mais l'aphérèse aussi (*leur*, *blème*, *ouette*, pour contrôleur, problème, cacahouète – vendeur à la sauvette du métro) ;

– réduplication : *leurleur* pour *contrôleur*, *zonzon* pour *prison* ;

– métaphore (*galère*) et métonymie (*casquette* pour *contrôleur*) ;

– verlan ou mise à l'envers, au renouvellement rapide (*comme ça*, *ça comme*, *comme as*, *as comme* ou *askeum*, *asmeuk*, *asmok*).

Comme pour tous les lexiques vernaculaires à transmission surtout orale, la variabilité est forte. Les différents procédés cohabitent, et les métissages sont fréquents : *debléman* vient de *bled* (emprunt à l'arabe) verlanisé en *deblé*, puis suffixé par l'anglais *–man* ; *destroy* se verlanise en *stroydé*. Le verlan a d'abord conforté la syllabation traditionnelle du français ; puis *chinois* a pu donner *noi-chi* et *noich*, mais aussi *oinich* et *oinch* qui, verlanisant à l'intérieur de la syllabe, ne respectent pas les règles classiques de syllabation. Les frontières du mot peuvent aussi être franchies (*ziva* pour *vas-y*, reverlanisé en *ziav*) ; et une forme peut être reverlanisée : *français*, *céfran*, *céanf* ; *arabe*, *beur*, *rebeu*, *rabza* (de *les Arabes*).

Le bilan formel débouche donc sur le constat que, pour l'essentiel, les procédés classiques demeurent à l'œuvre, même si l'allure superficielle change radicalement. Les différences par rapport à l'argot traditionnel résident dans l'intensification des emprunts et la diversification des sources ; et dans ce qui a pu être appelé « fonctionnement en miroir » par rapport à la langue courante : verlan, préférence à l'aphérèse sur l'apocope, neutralisation des timbres vocaliques, accentuation sur la pénultième.

Remarque : Il est exclu de « traduire » tous les termes cités dans du français standard, à la fois parce qu'ils ne correspondent pas toujours à des termes existant en français standard (cela entraînerait de longues explications – tel est le cas par exemple pour *galère* et *racaille/caillera*), et parce que nous visons ici une description formelle, pas une ethnographie des circonstances d'usage.

2.4. Les pratiques langagières des jeunes

Les locuteurs, utilisateurs ou non de la langue des jeunes, ont le sentiment de quelque chose de massivement nouveau, ce qui invite à observer, au-delà des formes, les pratiques langagières.

2.4.1. Pratiques langagières dans des réseaux

Les adolescents des quartiers vivent souvent dans un relatif isolement au sein d'un groupe de pairs fortement cohésif fait de liens forts et d'échanges sous forme de troc et de critères d'admission restrictifs. Ce repli sur le groupe s'exprime dans le sens spécifique donné à certains mots : *respect, humilier, chercher quelqu'un, calculer quelqu'un, être vénère* (énervé), *traiter quelqu'un, délire, (s')éclater, avoir la rage, galérer, rouiller, caillera, hogra* (honte, mot arabe)... L'usage de la langue qu'ont ces jeunes est adapté à des pratiques communicatives de solidarité entre pairs, qui permettent des raccourcis de connivences et d'implicites, dont ils apprécient la valeur identitaire et cohésive (reconnaissance entre membres du groupe – *nous*, exclusion des autres – *eux*). D'où son renouvellement rapide et sa variabilité d'une région à l'autre (ainsi le verlan, typique de la région parisienne, est peu pratiqué en région marseillaise ou à Grenoble), voire d'une banlieue à une autre d'une même ville. Mais les liens forts mènent à la fragmentation de groupes fermés entre lesquels manquent ces « ponts » qui favorisent la transmission d'informations et l'innovation. Pour reprendre la métaphore du marché linguistique, les valeurs en circulation ne sont pas celles du marché dominant : il s'agit de « marchés-francs », régis par leurs règles propres.

Aujourd'hui, un autre type de réseau dans lequel ils s'inscrivent vient interférer, à l'antipode de ce localisme : c'est un réseau d'influence diffuse, avec références communautaires au pays d'origine ; et, au moins pour certains, le truchement d'écrits, par magazines, fanzines, internet ou « chats ». Entre ce réseau global par excellence, et le réseau local quotidien, les réseaux intermédiaires font défaut.

Le recul quant à un avenir vraisemblable de ces pratiques est pour le moment insuffisant ; et il est difficile de dire comment parleront ces jeunes une fois adultes et mieux intégrés dans le tissu social, de même qu'il est difficile de savoir si certains de leurs usages finiront par s'imposer dans la langue commune.

2.4.2. Études de cas. Échanges ordinaires, incivilités, violences verbales

Lepoutre (1997) étudie les activités de parole dans les échanges sociaux au sein du groupe de pairs dans la culture de rues, de différents points de vue : individuel (performances), relationnel (rituels), symbolique (la langue dans la vie sociale). Il étudie ainsi le verlan, le langage obscène, les modes de diction (volume sonore, débit, élocution), qui manifestent un rapport au corps « exubérant ». Comme dans toute culture de rue, culture de verbalité, d'éloquence, de rhétorique, les locuteurs excellent dans la narration, les joutes verbales, les insultes rituelles, les vannes directes ou référencées, qui épousent des schémas très réguliers et transculturels :

> (12) ta mère, elle est tellement plate qu'elle passe sous la porte sans l'ouvrir

Dans ces échanges, l'évaluation du public (par les rires ou les applaudissements), est cruciale. Il y a donc une dimension spectaculaire et ludique (voire une mise en spectacle), en même temps que l'activation d'un savoir social et d'une compétence langagière. Quant aux offenses, insultes et mauvaises paroles, elles font fonction de régulateurs sociaux (gestion de conflits quotidiens, marquage de hiérarchie dans le groupe de pairs), de même que les ragots et rumeurs qui circulent à l'intérieur du groupe et assurent un contrôle social informel et la maîtrise stratégique des informations, qui constituent une véritable ré-affirmation des normes de la vie sociale).

Le Cunff & Cabiron (1997) rapportent une expérience de recherche-innovation conduite en banlieue parisienne, visant à exploiter en classe l'habileté montrée par les élèves dans certaines pratiques langagières, pour qu'ils apprennent à réguler la violence verbale. Il s'agit d'améliorer le maniement de la langue en prenant appui sur les pratiques sociales, langagières ou non, des élèves de la cité, en s'appuyant sur leurs habiletés reconnues :

ainsi, sur le modèle très réglé et exigeant du match d'improvisation (*impro*), l'enseignant tire parti des talents des jeunes à la joute verbale. Le but est de travailler le rapport au langage en liaison avec les situations, et la production de discours oraux diversifiés, dans la mise en place de règles de gestion de la parole (demande de parole, respect du tour, écoute de l'autre) et de civilité, et dans l'argumentation (dont l'efficacité est évaluée par le groupe-classe). De cette expérience sont attendus des effets de régulation pragmatique de la parole en classe, et, peut-on espérer, hors de la classe : l'élève expérimente la mise à distance du vécu langagier, à partir de l'exploitation de pratiques extra-scolaires qu'il valorise.

Dannequin (1997 et 1999) essaie de comprendre d'où proviennent les malentendus entre adultes et jeunes autour de l'usage de la langue : là où les premiers voient de la grossièreté et des incivilités, les jeunes revendiquent une façon propre de s'exprimer, sans particulière intention de choquer. Le décalage est surtout patent dans les comportements publics :

(17) « On criait, on parlait très fort, de façon très rythmée. On disait une phrase en très peu de temps, ça donnait un débit un peu agressif, même si ce n'était pas notre intention : même pour demander un renseignement, on était structurés comme ça » (1999, p. 90 – interview d'un jeune)

Même si les jeunes font la différence entre parler dans le groupe de pairs et parler à un inconnu, surtout adulte, surtout en fonction officielle, il y a déplacement de ce qui sera perçu comme poli, ou seulement comme neutre. Ainsi, même s'ils sont disposés à suivre les normes dominantes plutôt qu'à s'y opposer, ils peuvent aussi être surpris en découvrant les effets de leur façon de parler sur les adultes, par exemple lors d'entretiens d'embauche :

(18) « Des formateurs de GRETA ont dû sensibiliser les jeunes adultes qu'ils avaient en stage aux techniques de la "présen tation de soi" afin qu'ils abordent les entretiens d'embauche avec une intonation moins hâchée en leur faisant percevoir l'effet, négatif, qu'elle produisait sur un employeur éventuel » (1997, p. 24).

Remarque : Éducateurs et formateurs ont ainsi à savoir où faire passer la limite entre comportements identitaires et incivilités inadmissibles.

3. Conséquences linguistiques de l'immigration : les contacts de langues

L'urbanisation en France, d'abord nourrie par l'exode rural, a été tardive à côté d'autres pays d'Europe. La migration interne s'est augmentée d'une immigration extérieure, d'abord européenne, puis extra-européenne (Maghrébins, Africains, Asiatiques, venus pour partie d'anciennes colonies françaises). À l'heure actuelle, en région parisienne, on estime qu'un enfant sur quatre est par pratique familiale confronté, outre le français, à une langue familiale qu'il ne maîtrise pas nécessairement ; et le nombre et la diversité des langues parlées sur le territoire de la France ne fait qu'augmenter.

3.1. Langues en contact, nouvelles pratiques langagières

L'urbanisation a entraîné, surtout dans les grandes villes avec la ségrégation et la séparation territoriale (pour ne pas dire ghettoïsation), des cohabitations de personnes et de langues qui laissent place à de nouvelles pratiques. Beaucoup de jeunes des banlieues viennent de familles originaires du Maghreb ou d'Afrique noire, avec des pratiques langagières formées dans des cultures où l'oralité jouit d'un statut valorisé.

Les actuels contacts entre français et langues d'immigration diffèrent de ceux qui résultaient traditionnellement de la cohabitation avec les langues régionales, en partie à cause de la déterritorialisation des langues de la migration (le territoire se trouvant dans un ailleurs plus ou moins lointain, plus ou moins mythifié), ou plutôt de leur greffe dans la cité française : aujourd'hui, surtout portugais, arabe (sous ses différentes formes dialectales maghrébines), berbère, langues africaines, langues asiatiques. Aussi ne peut-on plus regarder ce bilinguisme comme une étape transitoire instable entre deux monolinguismes, conception qui recoupait l'image traditionnelle de langues clairement distinguées l'une de l'autre. Deux éléments nouveaux interfèrent : les revendications identitaires, et le va-et-vient entre pays d'origine et pays d'accueil, en tous cas pour ceux qui peuvent y retourner (circulation des locuteurs, des langues et des discours).

Les locuteurs issus de l'immigration conservent, parfois sur plusieurs générations (rarement au-delà de trois), des pratiques plus ou moins spécifiques selon le pays d'origine, le parcours migratoire, le désir d'intégration, les valeurs reconnues aux deux langues, l'arrière-plan culturel, les pratiques familiales, la place dans la configuration de la famille (nucléaire ou élargie) et dans la fratrie, le lien maintenu avec le pays d'origine, et la consommation de médias dans la langue de la migration. Il y a sans doute là, tout autant qu'une nouveauté dans les pratiques, une nouvelle attention de la part des descripteurs portée à un « parler bilingue », qui n'est pas à confondre avec le bilinguisme. Ce parler comporte des accommodations et ajustements, des hybridations et mélanges, et des alternances de langue ou de code, circulation fluide d'une langue à l'autre qui peut intervenir d'un tour de parole à l'autre, d'un énoncé à l'autre, voire à l'intérieur d'un syntagme ou même d'un mot (*je la kiffe*, *je veux pas choufer*, où les radicaux verbaux arabes sont conjugués à la française). Le parler bilingue peut donc faire partie d'un répertoire, et couvrir une large gamme, avec domination du français pour les jeunes scolarisés. Indice de maîtrise partielle de la nouvelle langue à la première génération, ces pratiques peuvent aussi constituer un code identitaire, une façon de resserrer le réseau, autant qu'une pratique unificatrice entre les générations dans la conversation familiale, solution tierce et modulable évitant le choix tranché entre la langue d'origine et celle du pays d'accueil.

Ces pratiques indiquent que les locuteurs ne se soucient pas prioritairement des frontières entre les langues, bien qu'ils sachent fort bien où elles passent, comme l'attestent les enfants bilingues assez vite capables d'identifier leurs deux langues. Ils s'en soucient en tous cas moins que les linguistes.

3.2. Pratiques de jeunes issus de l'immigration

Les quartiers et banlieues pluriethniques sont des creusets d'influences linguistiques et culturelles diversifiées selon les lieux, en constante reconfiguration.

C'est dans le groupe de pairs que les jeunes de banlieues pluriethniques construisent un « parler véhiculaire interethnique » que Billiez (1992) a étudié à Grenoble. Ce parler marqué par la diversité des influences prolonge les pratiques de parler bilingue mises en place dans la famille. Point n'est besoin d'être beur ou maghrébin pour dire *inchallah* (exclamation que l'on peut traduire par « si Dieu le veut »), ou pour calquer des expressions arabes (*sur le Coran d'Allah*, *sur la tête de ma reum*) ; et des traits sentis comme typiquement maghrébins, comme la fermeture de voyelles ouvertes, la pharyngalisation, ou certaines courbes intonatives, peuvent fonctionner comme marque identitaire par des jeunes de toutes origines :

> (19) « (...) des insultes rituelles qui ont été énoncées en français mais semblent être – ou en tout cas sont ressenties comme – des traductions littérales d'expressions arabes (...). Elles sont d'ailleurs prononcées par des adolescents de toutes nationalités, avec une articulation constrictive sourde et forte du *r* pour leur donner une sorte de coloration arabe » (p. 120).

Billiez & Merabti (1990) étudient le rôle des réseaux de pairs dans la conservation de l'arabe dans la communauté d'origine algérienne de la région de Grenoble. En comparant deux réseaux de jeunes, l'un à Grenoble où l'arabe est peu pratiqué, l'autre dans une petite ville à 25 km, Tullens, où il est au contraire très vivant, elles montrent que cette observation linguistique correspond à une différence dans les réseaux : peu structuré et peu solidaire à Grenoble, au contraire très cohésif à Tullens. Elles font l'hypothèse d'un prolongement des pratiques familiales dans le groupe de jeunes, car la disponibilité de l'arabe dans le réseau implique que la transmission familiale ait été au moins en partie assurée. Autre différence : la présence de Français de souche dans le groupe de Grenoble, qui ne fait toutefois pas disparaître la pratique sporadique de l'arabe ; le groupe de Tullens est ethniquement plus homogène.

Trimaille (2003) mène une observation, en tant qu'animateur bénévole dans un centre social, sur un groupe de jeunes à Grenoble, ce qui lui permet une comparaison avec les études antérieures locales. Après avoir noté, sur le plan formel, une incontestable continuité avec les observations antérieures, et, pour les pratiques, s'être intéressé aux appellations, aux jurements et aux vannes, il étudie une expérience d'interviews « menées et filmées par les adolescents auprès de passants », avec l'idée de tester, ailleurs qu'à l'école, le fonctionnement dans une tâche communicative relativement surveillée. Il montre ainsi que, hors des interactions habituelles de leur réseau, les jeunes montrent une relative capacité d'adaptation (pas de mots du réseau), et « une certaine allégeance à la norme légitime », perceptible aussi dans des réflexions qu'ils s'adressent entre eux, comme (20) :

> (20) retourne à l'école tu sais pas parler

Il conclut ainsi que ce qui apparaît comme une « frontière d'incommunicabilité » entre adultes et jeunes est davantage d'ordre représentationnel et relationnel que linguistique, qui pousse les jeunes à se réfugier dans la langue de l'entre-soi.

À Paris cette fois, Bouziri (2002) a pratiqué une observation participante dans le quartier de la Goutte d'Or, en étudiant la trajectoire sociale et les pratiques langagières de 120 jeunes de 6 à 16 ans, issus de l'immigration maghrébine (nés en France, ou arrivés avant 6 ans). Elle les répartit en trois groupes (aisés, moyens, défavorisés), catégorisation qu'elle met en corrélation avec les pratiques d'alternance codique (affectives ou limitées au cadre familial, adaptatives ou modulées selon le contexte, enfin, unilatérales, où le sujet ne fait que comprendre la langue des parents). En étudiant les pratiques bilingues, elle insiste sur la constante recomposition des pratiques langagières, et fait l'hypothèse que ces locuteurs disposent de « deux langues maternelles ».

Remarque (3.2.) : La médiocre transmission des langues de la migration, quelles qu'elles soient, est maintenant confirmée par les études démographiques en liaison avec le recen-sement, qui, pour la première fois, a comporté un volet sur les langues, pour une partie non négligeable de la population (voir Héran 2004).

Conclusion

Le vernaculaire dans sa forme traditionnelle de français populaire tend à se dissoudre, en nombre de locuteurs et en amplitude de variation, devant de nouveaux facteurs sociaux comme la mobilité des personnes, la progression de l'éducation de masse, et l'émergence de modalités d'accès à l'information concurrents de l'école. Mais il se réduit surtout par l'effet des importantes mutations socio-économiques, culturelles et migratoires qu'a connues la France dans la deuxième moitié du XXe siècle, et parce qu'il est aujourd'hui concurrencé par de nouvelles formes langagières, porteuses de nouvelles identités, ainsi que par différentes pratiques d'hybridation. Les vernaculaires se reconfigurent au gré des changements sociaux, mais une chose ne change pas: c'est qu'ils se maintiennent clairement distincts du standard.

Pour aller plus loin

1. Pour le français populaire traditionnel, Gadet 1992, François 1985 pour un historique, Bourdieu 1983 pour une réflexion sur le terme *populaire* et sur l'idée de marchés-francs. Sur l'argot héréditaire, Calvet 1994a. Woolard 1985 pour une exploitation sociolinguistique de l'opposition entre statut et solidarité.

2. Parmi les nombreux travaux sur la « langue des jeunes », Trimaille 2004, pour une réflexion sur les dénominations et la prise en compte de cet objet ; Méla 1997 sur le verlan, Goudaillier 1997 et 2002, Boyer 1997 sur « l'objet médiatiquement identifié », Antoine 1998 pour le « recyclage » formel d'éléments lexicaux pré-existants ; Conein & Gadet 1998, Gadet 2003 pour une comparaison entre langue populaire et langue des jeunes, Goudaillier 2002 sur l'idée de « langue en miroir ». Pour les pratiques des jeunes, Lepoutre 1997, Dannequin 1997 et 1999, Fagyal 2004 et à paraître, Billiez 1992, Bertucci & Houdart-Mérot 2005 pour la France, Eckert 2000 pour un passage du variationnisme aux pratiques langagières, et 2004 pour le rapport au corps et à l'espace. Labov 1978 sur les jeunes noirs de Harlem. Lafage 1991 pour un exemple de langue des jeunes hors Europe (Abidjan). Le recueil où figure l'article de Conein & Gadet 1998 comporte des articles traitant de la langue des jeunes dans plusieurs autres pays d'Europe. Yaguello 1999 pour des phénomènes locaux émergents.

3. Sur les pratiques des langues dans la migration, les travaux de Billiez, Lüdi & Py 1986 pour les pratiques bilingues, Héran 2004 sur la transmission, Deprez 1994 axé sur l'enfant bilingue, et 2005 pour le rapport, en constante modification, au pays d'origine ; Caubet 2002 sur l'alternance codique, Gadet à paraître pour un historique et la situation actuelle en France. Rampton en Grande-Bretagne pour les emprunts à une langue que les locuteurs ne maî-trisent pas totalement ou pas du tout, qu'il appelle « crossing ». Gadet & Varro 2006 pour une synthèse et plusieurs articles sur le bilinguisme. Calvet 1994b sur ce que la ville fait aux langues.

ANTOINE F., 1998, « Des mots et des oms : verlan, troncation et recyclage formel dans l'argot contemporain », *Cahiers de lexicologie* 72 (1), 41-70.

ARMSTRONG N. & M. JAMIN, 2002, « Le français des banlieues : uniformity and discontinuity in the French of the Hexagon », *in* K. Salhi (ed.), *French in and out of France : language policies, intercultural antagonisms and dialogue*, Berne, Peter Lang, 107-36.

AUVIGNE M-A. & M. MONTÉ, 1982, « Recherches sur la syntaxe en milieu sous prolétaire », *Langage et société* 19, 23-63.

BAUCHE H., 1920, *Le langage populaire*, Paris, Payot.

BERRUTO G., 1983, « L'italiano popolare e la semplificazione linguistica », *Vox Romanica* 42, 38-79.

BERTUCCI M-M. & V. HOUDART-MEROT (dir.), 2005, *Situations de banlieues : enseignement, langues, cultures,* Lyon, Institut National de Recherche Pédagogique.

BILLIEZ J., 1992, « Le "parler véhiculaire interethnique" de groupes d'adolescents en milieu urbain », *Des langues et des villes*, Paris, Didier-Erudition, 117-26.

BILLIEZ J. & N. MERABTI, 1990, « Communication familiale et entre pairs : variations du comportement langagier d'adolescents bilingues », *Plurilinguismes* 1, 34-51.

BOURDIEU P., 1983, « Vous avez dit populaire ? », *Actes de la recherche en sciences sociales* 46, 98-105 ; repris *in* Bourdieu 2001.

BOUZIRI R., 2002, « Les deux langues maternelles des jeunes Français d'origine maghrébine », *Ville-École-Intégration Enjeux* 130, 104-16.

BOYER H. (dir.), 1997, *Les mots des jeunes. Observations et hypothèses, Langue française* n° 114.

CALVET L-J., 1994a, *L'argot*, Paris, PUF, Que sais-je ?

CALVET L-J., 1994b, *Les voix de la ville*, Paris, Payot.

CAUBET D., 2002, « Métissages linguistiques ici (en France) et là-bas (au Maghreb) », *Ville-École-Intégration Enjeux* 130, 117-32.

CONEIN B. & F. GADET, 1998, « Le "français populaire" des jeunes de la banlieue parisienne, entre permanence et innovation », *in* J. Androutsopoulos & A. Scholz (Hrsg), *Jugendsprache/langue des jeunes/youth language,* Francfort, Peter Lang, 105-23.

DANNEQUIN C., 1997, « Outrances verbales ou mal de vivre chez les jeunes des cités », *Migrants Formations* 108, 21-9.

DANNEQUIN C., 1999, « Interactions verbales et construction de l'humiliation chez les jeunes des quartiers défavorisés », *MOTS* 60, 76-92.

DEPREZ C., *1994, Les enfants bilingues : langues et familles*, Paris, Didier CREDIF.

DEPREZ C., 2005, « Langues et migrations : dynamiques en cours », *La linguistique* 41-2, 9-22.

ECKERT P., 2000, *Linguistic Variation as Social Practice*, Malden MA, Blackwell.

ECKERT P., 2004, « Variation and a sense of place », *in* C. Fought (ed.), *Sociolinguistic Variation*, Oxford University Press, 107-18.

FAGYAL Z., 2004, « Action des médias et interactions entre jeunes dans une banlieue ouvrière de Paris : Remarques sur l'innovation lexicale », *Cahiers de Sociolinguistique* 9, 41-60.

FAGYAL Z., à paraître, *L'accent des banlieues. Études phonétiques du rythme du français parisien en contact avec les langues de l'immigration*, Paris, l'Harmattan.

FRANÇOIS D., 1985, « Le langage populaire », *in* G. Antoine et R. Martin (dir.), *Histoire de la langue française de 1880 à 1914*, Paris, Ed. du CNRS, 295-327.

GADET F., 2003, « "Français populaire" : un classificateur déclassant ? », *Marges linguistiques* 6, 103-15, (http://www.marges-linguistiques.com).

GADET F., à paraître, « Migrant Languages in France », *in* U. Ammon & H. Haarmann (dir.), *Lexikon der Sprachen des europäischen Westens*, Klagenfurt & Wien, Wieser Verlag.

GADET F. & G. VARRO (dir.), 2006, *Le scandale du bilinguisme, Langage & Société* n° 116.

GOUDAILLIER J.-P., 1997, *Comment tu tchatches. Dictionnaire du français contemporain des cités*, Paris, Maisonneuve et Larose (3e éd. 2001).

GOUDAILLIER J-P., 2002, « De l'argot traditionnel au français contemporain des cités », *La linguistique* Vol 38-1, 5-23.

HERAN F., 2004, « Une approche quantitative de l'intégration linguistique en France », *Hommes et migrations* n° 1252, 10-24.

LAFAGE S., 1991, « L'argot des jeunes Ivoiriens, marque d'appropriation du français », *Langue française* 90, *Parlures argotiques,* 95-105.

LAKS B., 1983, « Langage et pratiques sociales. Étude sociolinguistique d'un groupe d'adolescents », *Actes de la Recherche en Sciences Sociales* 46, 73-97.

LE CUNFF C. & F. CABIRON, 1997, « De la violence à la joute verbale. Élèves en banlieue », *Repères* 15, 59-77.

LEON P., 1973, « Réflexions idiomatologiques sur l'accent en tant que métaphore sociolinguistique », *French Review* Vol XLVI-4, 783-9.

LODGE A., 1999, « Colloquial Vocabulary and Politeness in French », *The modern language review* Vol 94-2, 355-65.

LÜDI G. & PY B., 1986, *Être bilingue*, Berne, Peter Lang.

MELA V., 1997, « Verlan 2000 », *Langue française* 114, 16-34.

RAMPTON B., 1995, *Crossing : Language and Ethnicity among Adolescence,* London & New York, Longman.

STEIN D., 1997, « Syntax and Varieties », *in* J. Cheshire & D. Stein (ed.), *Taming the Vernacular. From Dialect to Written Standard Language,* London and New York, Longman, 35-50.

TRIMAILLE C., 2003, « Variations dans les pratiques langagières d'enfants et d'adolescents dans le cadre d'activités promues par un centre socio-culturel, et ailleurs », *Cahiers du français contemporain* 8, 131-61.

TRIMAILLE C., 2004, « Études des parlers de jeunes urbains en France : éléments pour un état des lieux », *Cahiers de sociolinguistique* 9, 99-132.

YAGUELLO M., 1999, *Petits faits de langue*, Paris, Le Seuil.

CHAPITRE VI

L'AJUSTEMENT ENTRE INTERLOCUTEURS : LE DIAPHASIQUE

Le diaphasique constitue l'étape ultime de ce parcours dans la variation, car il soulève des problèmes mettant en jeu la conception même du sociolinguistique : sa raison d'être (pourquoi un locuteur ne parle-t-il pas toujours de la même façon ?), sa place parmi les faits de variation (étant donné qu'il s'agit du même usager), ou la question de la signification, et de sa possible équivalence à travers la diversité des formes.

Dans toutes les langues à ce qu'il semble, les productions s'avèrent en effet sensibles au type d'activité qui se déroule (enjeux de l'échange, situation matérielle, sujet traité, médium), et aux protagonistes (interlocuteur, présence ou non d'un public, relations entre les locuteurs, degré de formalité). Toutes les langues connaissent ainsi des usages linguistiques diversifiés, reflétés dans l'usage d'un locuteur unique. C'est d'ailleurs parce que sont constamment en jeu des principes explicatifs que, contrairement à ce que nous avons fait jusqu'ici, nous évaluerons des cadres théoriques.

1. D'un constat de sens commun à la mise en place d'une notion

L'observation courante montre que, même en ne sachant rien de membres de sa communauté qu'il voit interagir, un locuteur saisit très vite quelque chose de la nature de l'interaction, par les productions et ce qu'il peut en induire sur le contexte et la situation.

1.1. Deux observations

La première observation concerne des énoncés d'une jeune femme qui a étudié son propre répertoire verbal à partir d'enregistrements effectués chez elle, à sa demande mais à son insu. Échelonnés sur près d'un mois, ils comportent du familier (dispute au téléphone avec le compagnon – (1)), de l'intermédiaire (conversation avec la belle-mère), du relativement formel (conversation téléphonique avec un professeur de cours par correspondance – (2)). Voici deux extraits qui donnent une idée de l'amplitude du répertoire de Gisèle :

(1) mais putain qu'est-ce tu me prends la tête là < je te dis EST-ce qu'i(l) vient lui / quoi < ben Jean quoi / c'(es)t une blague < attends là / y a quelque chose de louche là / faut pas m'emmerder quand même / i(l) vient < oui < non < NON je peux pas me déplacer / Fabrice il a pas fait ses devoirs / qu'est-ce tu me / mais je / arrête bon sinon / tu viendras < dois-je te préparer la table < et pis monsieur sera servi / on s'en fout de ça / de toute façon c'est à peu près tout ce que tu sais dire

(2) allô oui c'est Gisèle / à qui ai-je l'honneur < / ah bonjour Monsieur X / je vous les ai envoyés / y a exactement un mois / lorsque j'ai reçu mon dossier d'adhésion l'inscription a donc été validée / du moins me semble-t-il / mais l'inscription de laquelle je / a bien été validée / non il est vrai que nous n'avons pas de portable mais tout de même je devais être mise au courant / ne serait-ce que pour corriger le dossier dans le cas où interviendrait une erreur / tout à fait mais puis-je vous poser une question <

La deuxième observation permettra d'étudier *ne*, indicateur fort de tonalité diaphasique, que FG a observé dans son propre usage en deux situations tranchées : 1) petit déjeuner familial, où le seul *ne* en une heure d'enregistrements (plusieurs événements répartis sur un mois) rapporte les propos d'un médecin (exemple (3)), ce qui ne signifie pas que telles ont été les paroles tenues, mais révèle la représentation sociale que FG a des médecins ; 2) cours magistral, où tous les *ne* sont présents, sauf lors de réponses à des questions, où ils sont tous omis. Pendant ce même cours magistral, FG s'est mise en colère devant les bavardages excessifs : bien que le lexique soit alors peu surveillé, avec des énoncés comme (4), les 3 *ne* possibles sont présents :

(3) le médecin m'a dit si vous n'avez pas de sirop vous pouvez toujours boire de l'eau

(4) je commence vraiment à en avoir marre et je ne vais pas supporter ça longtemps

Remarque 1 (Gisèle) : Il va sans dire que j'ai l'accord de Gisèle pour faire état de ses enregistrements. Les transcriptions sont les siennes, et les noms ont été anonymisés.

Remarque 2 (FG) : L'opération peut être conduite avec d'autres traits, phoniques, grammaticaux ou lexicaux. Tous ne sont pas aussi saillants que *ne*, qui fait fortement partage entre les discours ; et tous les locuteurs n'ont pas une amplitude aussi large que FG, qui apparaît ici très soumise à ses rôles sociaux. Il reste à déterminer si des variables ainsi repérables en des points précis permettent vraiment de saisir toute l'ampleur de la variabilité diaphasique.

1.2. Les niveaux de langue : limites d'une notion

La notion de niveau de langue, qui s'est constituée dans les années 1950 au carrefour de problématiques didactiques, stylistiques et linguistiques, constitue aujourd'hui la façon courante de prendre en compte le diaphasique, sans se distinguer fondamentalement des observations de sens commun.

1.2.1. Établir des niveaux

Voici une liste des principaux termes offerts par les manuels scolaires, les dictionnaires et les grammaires, où la pratique courante distingue quatre niveaux :

Tableau 5
Représentation traditionnelle des niveaux de langue

Terme	Synonymes présumés
soutenu	recherché, soigné, élaboré, châtié, cultivé, tenu, contrôlé, tendu
standard	standardisé, courant, commun, neutralisé, usuel
familier	relâché, spontané, ordinaire
populaire	vulgaire, argotique

Ces différents termes jouent sur des dimensions diverses (social, situation, idéologique, psychologique, moral), et le nombre de synonymes offerts diminue avec le niveau, ce qui est un signe de jugement social. En attribuant des marques à des formes de langue, cette notion cherche à instaurer des frontières dans le double continuum du social et du linguistique, puis les met en corrélation. Quel que soit le nombre de niveaux retenu, ce n'est donc pas le détail d'un découpage qui pose problème, mais l'idée même de découpage, qui conduit à penser que c'est à travers des listes de phénomènes que pourraient se définir les niveaux.

1.2.2. La souplesse linguistique du diaphasique

Soient deux séquences, fabriquées, volontairement contrastées par la concentration de phénomènes variables, hors prononciation et intonation :

(5) quand Pierre a-t-il confié à son épouse qu'il ne lui serait guère loisible d'aller au cinéma ?

(6) quand que c'est que / Pierre / sa femme / il lui a dit que / le cinoche / il pourrait pas y aller ?

Il est difficile d'établir le nombre de séquences que l'on pourrait distinguer en faisant varier tous les phénomènes, car ils ne fonctionnent pas tous de façon binaire. Ainsi, l'interrogation partielle offre un grand luxe de formes (ici, 14) :

(7) quand venez-vous ?
(8) quand est-ce que vous venez ?
(9) vous venez quand ?
(10) quand/vous venez ?
(11) quand que vous venez ?
(12) quand c'est que vous venez ?
(13) quand que c'est que vous venez ?
(14) quand c'est que c'est que vous venez ?
(15) quand que c'est que c'est que vous venez ? ([kɑ̃kseksegvuvne])
(16) c'est quand que vous venez ?
(17) c'est quand c'est que vous venez ?
(18) c'est quand que c'est que vous venez ?
(19) vous venez quand est-ce ?
(20) vous venez quand ça ?

Pour le détachement aussi, les possibilités sont nombreuses : 3 noms qui peuvent occuper 3 positions (*in situ*, ou détachés, avant ou après le verbe) = 27 combinaisons. Pour les trois phénomènes interrogation, ordre des mots et négation, il y aurait donc 14 x 27 x 2 = 756 combinaisons. Ce nombre doit être réduit à cause des contraintes, dont voici deux exemples. Seule l'interrogation par intonation permet de postposer *quand* (ex. (21)) ; *ne… pas* suppose un sujet standard, contrairement à *pas* (ex. (22) et (23), *ne fallait pas* étant impossible) :

(21) tu viens quand ?
(22) il ne fallait pas
(22') il fallait pas
(23) fallait pas

Mais ce nombre doit surtout être réduit parce qu'on ne peut imaginer ni le locuteur capable de moduler 756 nuances diaphasiques, ni l'auditeur prêt à les évaluer. On retiendra donc l'extrême souplesse, largement modulable, offerte à l'expression diaphasique.

1.3. Des niveaux de langue au diaphasique

C'est dans le lexique que le marquage des termes s'effectue le plus facilement, mais l'observation d'autres pratiques montre qu'il est impossible de s'y limiter, bien que tel ait souvent été le cas des définitions des niveaux de langue.

1.3.1. Étude de cas. Les marques dans les dictionnaires

La variabilité du lexique est immédiatement saillante, pour le locuteur comme pour le linguiste, et les dictionnaires doivent en tenir compte. Mais l'opération de catégorisation s'avère délicate, car elle fige en jugement de langue ce qui est négocié en discours par les interactants. Aussi, d'un dictionnaire à l'autre, des disparités se font-elles jour pour un même mot.

Désirat & Hordé (1976, p. 43 *sq.*) comparent les classements présentés par trois dictionnaires de la fin du XIXe siècle et de 4 dictionnaires récents, pour 12 synonymes de *travailler* et *voler*. Voici quelques-unes de leurs observations : 1) les termes neutres sont stables à travers le temps ; 2) les vocables marqués du point de vue de l'usage sont au contraire instables, et le taux d'accord entre dictionnaires est faible ; 3) il y a glissement diachronique de marquages populaires ou argotiques vers le familier, comme pour *bûcher* ou *chaparder* (il n'y a apparemment pas de glissement en sens inverse) ; 4) l'intégration au français commun s'effectue plus rapidement pour les mots du travail que pour ceux des activités antisociales.

Remarque : Plutôt que dénoncer l'incohérence des dictionnaires, il faut se demander s'il pourrait en aller autrement, étant donné la diversité d'expérience sociale chez les locuteurs que sont aussi les rédacteurs de dictionnaires.

1.3.2. Étude de cas. Traduire un texte non standard

La traduction de textes non standard se confronte à deux défis : la fidélité de représentation jusque dans la cohérence, et l'équivalence culturelle. Comme il n'y a pas ici d'enjeu entre diastratique et diaphasique, nous prendrons des exemples de traduction concernant la langue populaire (Gadet 1996).

Pour la fidélité au parlé, l'article s'appuie sur la traduction de *Pygmalion* de Bernard Shaw. Les phénomènes censés rendre en français parisien le cockney londonien de Liza sont de quatre types : 1) le phénomène existe bien en français populaire parisien, et il est correctement représenté (ex : le *e* muet inversé de (24), difficilement lisible dans une telle graphie, où il faut entendre que le *e* de *tasse* est prononcé, et pas celui de *de*) ; 2) il existe en français, mais dans des usages régionaux ou archaïques, comme en (25), où la forme verbale ne relève aucunement d'un usage parisien actuel ; 3) le phénomène existe en français, mais les exemples fournis en sont fantaisistes, comme la chute de *e* muets en des positions impossibles, ou la disparition aléatoire de consonnes dans des groupes ; 4) il ne correspond à aucun phénomène variable connu en français, comme les voyelles de (26) :

(24) eun'taiss'ed'taie (une tasse de thé)
(25) c'que j'avions fait
(26) achi-ite eune flar (achète une fleur)

Quant à l'équivalence culturelle, l'article s'appuie sur des séquences d'anglais noir de Harlem dans la traduction de l'ouvrage de Labov (1972b/1978). L'alternative est entre une traduction littérale comme (27), où la double négation est un calque de l'usage non standard américain, et une tentative d'équivalence entre l'anglais noir de New York et des productions de nos banlieues (mais quel choix parisien pourrait rendre l'usage d'un ghetto noir new-yorkais ?) :

(27) C'te pute, y avait pas un miché qui pouvait pas l'éviter

1.3.3. Observations. Évaluation diaphasique globale par les locuteurs

Comment les locuteurs s'y prennent-ils pour produire leurs évaluations diaphasiques ? Si la distinction entre standard et non-standard semble faire l'objet d'un certain consensus, sans doute renforcée par l'apprentissage scolaire (quoiqu'il soit surtout axé sur le lexique), les évaluations plus fines sont parfois difficiles, surtout en direction du non-standard, comme l'ont montré deux expérimentations.

La première a consisté à faire entendre les extraits (1) et (2) de Gisèle à des adultes en formation permanente. Aucun n'a pensé qu'il s'agissait du même locuteur, et les jugements sur (1) se manifestent toujours en termes sociaux (« manque d'éducation »). Une autre expérience visait la hiérarchisation d'énoncés non-standard. Elle a été conduite avec une soixantaine d'étudiants de licence, auxquels ont été soumises (par écrit, donc hors contexte) des séquences interrogatives allant du peu standard au non-standard (exemples de (7) à (20) ci-dessus), avec la consigne de les ordonner dans une hiérarchie du standard au non-standard. Les réponses sont très disparates. La seule évaluation stable concerne (7), toujours classé en tête. Tout le reste peut diverger, parfois fortement (par exemple, une séquence classée tantôt en deuxième tantôt en dernière position).

On peut ainsi se demander quelle est la part, dans l'évaluation diaphasique, du jugement direct sur les formes, de la hiérarchisation de formes, de la quantification (ou d'un seuil), et celle de la sensibilité au contexte. Mais peut-être s'agit-il d'une combinaison de toutes ces dimensions.

1.3.4. Évaluations diaphasiques par les traits en jeu

Ailleurs que dans le lexique, la plupart des traits linguistiques variables du français concernent à la fois le diastratique et le diaphasique (voir chapitre 3). Seuls certains traits peuvent être dits populaires sans être familiers, comme le *e* muet inversé de (28) ou l'interrogation de (29) :

(28) les mecs eud'la rue (exemple (12) du chapitre 1)
(29) qui que c'est qu'a dit ça <

Ce qui conduit les grammairiens à dénommer une forme comme familière plutôt que populaire a peu à voir avec le linguistique, mais apparaît plutôt comme le fruit d'un jugement social porté sur les locuteurs, selon l'idée reçue que les couches populaires parlent de façon populaire, donc ne disposeraient pas (ou très peu) des ressources de la souplesse diaphasique.

Le diaphasique, encore plus que d'autres zones sans doute, soulève donc la question de la confrontation entre la caractérisation effectuée par le linguiste (savoir étique, sur la base de traits mesurables, voire quantifiables), et le savoir du membre de la communauté, qui, de façon émique, porte constamment des jugements sur ce qu'il entend. Mais si le linguiste veut pouvoir s'appuyer sur ce savoir, il faut admettre que la perception du diaphasique ne passe pas seulement par des éléments du système, même dans toute son ampleur (du phonique au discursif) : elle met aussi en jeu deux autres aspects. Le premier demeure d'ordre comptable : il concerne des éléments discursifs ou pragmatiques qui soulignent l'opposition entre orientation vers le statut ou vers la solidarité, comme les marques de familarité/distance entre interlocuteurs, les marqueurs pragmatiques, le tutoiement/vouvoiement (ou les stratégies d'évitement du choix), les termes d'adresse (ainsi, *Monsieur, Monsieur Dupond, Monsieur le Professeur, Jacques, Jacquot, papa, coco, chéri, docteur, camarade, mon vieux, (mon) général...* ne s'adressent pas aux mêmes personnes, ou pas dans les mêmes circonstances sociales), les salutations, les modalités de prise de parole, ou les stratégies de politesse. Le deuxième aspect concerne la façon dont se combinent les phénomènes de différents ordres pour constituer du sens, jusque dans l'évaluation de caractéristiques de proximité ou de distance.

Aussi faut-il envisager le diaphasique de façon globale, en contexte, ce qui nous conduira désormais à éviter le terme de niveaux.

2. La dynamique diaphasique

Les travaux prenant le diaphasique comme objet sont encore assez peu nombreux, apparent paradoxe, car il semblerait facile d'observer le répertoire d'un seul individu. Il est au contraire difficile qu'un observateur, qui ne saurait être impliqué dans l'ensemble des situations traversées, puisse suivre un locuteur dans le cours de différentes activités.

2.1. Vers la maîtrise du diaphasique

Tous les locuteurs se trouvent confrontés à des énoncés empreints de variation diaphasique. Comment ces inputs se transforment-ils en une véritable maîtrise ?

2.1.1. Étude de cas. Les natifs connaissent tous la souplesse diaphasique

L'idée reçue veut que les jeunes, particulièrement les jeunes de couches défavorisées, n'aient pas une maîtrise efficace et cohérente du diaphasique, voire aucune sensibilité en ce domaine. Seguin & Teillard (1996), en observant leurs élèves d'une cité défavorisée en zone « sensible » de la banlieue parisienne (Pantin), s'inscrivent en faux contre cette idée :

> (30) « N'enfermons pas les enfants des Courtillières dans leur manière de parler, ils n'en ont pas qu'une, ils savent presque tous fort bien, sauf lorsque la pression est trop forte et que "ça pète", qu'on ne s'adresse pas au professeur comme à un(e) camarade, aux parents comme à la boulangère » (p. 81).

Certes, l'ampleur d'un répertoire se met en place progressivement au cours d'une vie. Mais si la souplesse diaphasique des jeunes et leur capacité d'ajustement, même restreinte, n'est pas mieux reconnue par les adultes, c'est sans doute par l'effet d'un jugement établi d'abord sur des comportements publics (voir les incivilités au chapitre 5). Les systèmes de la politesse et de l'adresse interactionnelle se sont certes simplifiés au long du XXe siècle, mais certaines accommodations n'ont pas disparu, par exemple les atténuateurs et précautions comme (31) ou (32), qui s'entendent dans la bouche de toutes sortes de locuteurs, même chez les jeunes défavorisés quand les circonstances leur paraissent l'imposer :

> (31) je voulais juste savoir…
> (32) j'aurais voulu vous demander…

2.1.2. Outils d'analyse/Étude de cas. Vers la maîtrise du diaphasique par l'enfant

À partir de quel âge et à travers quelles étapes ou quels seuils les enfants en viennent-ils à maîtriser les subtilités diaphasiques de leur langue ?

Labov (1964) retient six étapes dans la maîtrise d'une langue : 1) acquisition de la grammaire de base (petite enfance, sous l'influence des parents), 2) accès au vernaculaire local (entre 5 et 12 ans, à l'instigation du groupe de pairs), 3) sensibilité à la diversification sociale (vers 14-15 ans), 4) acquisition de la variation diaphasique, par l'élargissement des contacts sociaux, 5) maîtrise cohérente et consciente du standard, enfin 6) maîtrise de la gamme totale, ce qui ne se produit guère, si cela arrive jamais, que vers 18-20 ans. La maîtrise du diaphasique constitue donc un processus lent et un stade avancé de maîtrise de la langue ; du moins pour un maniement cohérent, au-delà de l'appropriation de quelques traits épars.

Buson (à paraître) étudie 36 enfants de 10/11 ans, provenant de deux écoles aux recrutements sociaux tranchés (l'une, plutôt favorisé mais « socialement mixte », l'autre, presque exclusivement défavorisé). Elle cherche à explorer les incidences du milieu social et du réseau de pairs. Les enfants sont invités à écouter 5 énoncés relativement marqués stylistiquement, et à les commenter. Elle montre plusieurs choses : 1) les trois quarts des enfants n'ignorent pas le diaphasique, et sont même capables, au-delà d'une adaptabilité routinière, d'une véritable souplesse consciente, comme le montre la production d'énoncés comme (33) ou (34) ; 2) les enfants de l'école mixte sont plus capables d'interprétations couvrant à la fois les stéréotypes sociaux, la morale et la norme, et les interactions ; 3) les enfants défavorisés sont plus sensibles au diaphasique dans l'école mixte que dans l'école ségréguée ; 4) le brassage social, favorisant la diversité de situations auxquelles les enfants sont confrontés, amène une plus grande sensibilité diaphasique, et donc langagière :

(33) la première il dit bien les mots *je ne suis pas là*, alors que la deuxième il dit *j(e) suis pas là, j(e) pars*, il abrège (enfant de 10 ans, école mixte)

(34) on parle pas de la même façon qu'on parle à des amis ou à des personnes très proches ou des copains ou des parents tout ça (enfant de 10 ans, école mixte)

L'auteur plaide ainsi pour une précocité de confrontation au diaphasique, afin de développer l'approche réflexive sur les usages langagiers, et pour la mixité sociale dans les écoles.

2.1.3. Études de cas. Acquisition du diaphasique par des non-natifs

Les objectifs d'enseignement du FLE visent souvent aujourd'hui une maîtrise quasi-native, ce qui implique l'accès à la variabilité diaphasique. Cependant, contradiction insoluble, c'est par l'usage en contexte, et non dans la salle de classe, que celle-ci s'acquiert.

Peut-on préconiser aux étrangers un usage du *ne* de négation modulé selon le contexte ? C'est ce que propose Regan (1996), qui apprécie que ses étudiants irlandais avancés reviennent d'un séjour d'un an en France en ayant diminué leur taux de *ne* en oral ordinaire. Valdman (2000) craint toutefois qu'une telle appropriation ne soit « perçue comme une intrusion puisque généralement les alloglottes ne participent pas aux réseaux de la communication vernaculaire » (p. 657).

Sur l'exemple privilégié de l'interrogation, Valdman (1998 et 2000) évalue les arguments linguistiques, sociolinguistiques et acquisitionnels orientant le choix des variantes à enseigner (connaissance de toutes les formes, maîtrise prioritaire de certaines). Ainsi, pour l'interrogation partielle : 1) l'inversion est certes valorisée, mais les natifs l'utilisent peu, et sa complexité structurelle peut entraîner des fautes chez les apprenants ; 2) l'antéposition sans inversion (*où il va ?*), facile à acquérir et peu contrainte, est dévalorisée par les natifs ; 3) les formes en *est-ce que* sont neutres pour les natifs, et, suivant l'ordre des mots de l'assertion, elles sont faciles à construire et sources d'un minimum de fautes pour les apprenants. Telle est la forme qu'il propose d'enseigner prioritairement, qu'il appelle « norme pédagogique », renvoyant à l'enseignant la pondération du risque à faire courir à l'apprenant, entre infraction syntaxique, décalage sociolinguistique, et impair pragmatique.

Tyne (à paraître) fait un suivi longitudinal d'étudiants de français de la 1er à la 4e année d'université en Grande-Bretagne, et il s'intéresse à l'ensemble des structures, pas seulement aux indices traditionnellement observés (comme le lexique ou le *ne*). Il apparaît que, dès la première année, les étudiants produisent des nuances de style, malgré une maîtrise imparfaite de certaines formes et éventuellement des fautes, et que cette sensibilité croît avec le temps, sans progresser de façons linéaire.

> **Remarque 1 (générale)** : Pourquoi viser une maîtrise quasi-native, au-delà de la reconnaissance passive et de la capacité à s'accommoder au style de l'autre ? Quoi qu'il fasse, un étranger n'est justement pas partie prenante de la culture vernaculaire.

> **Remarque 2 (Tyne)** : Cette observation conduit à supposer que la variabilité diaphasique relève d'un savoir général des usagers sur les langues (voir le savoir élocutionnel présenté au chapitre 2), transcendant la langue d'application. Toutefois, son émergence est soumise aux latitudes offertes par la langue d'origine (par exemple, plus pour l'anglais britannique que pour le danois, où la variation diaphasique est limitée).

2.2. Fonctionnements ordinaires

Les fonctionnements ordinaires du diaphasique permettent d'observer la souplesse diaphasique et l'ampleur des répertoires, jusque dans les aléas d'une vie de communauté.

2.2.1. Fluidité des usages diaphasiques

La place accordée aux différents ordres de variation, dont le diaphasique, apparaît diversifiée selon les langues, ou plus précisément selon les communautés, puisque par exemple au Québec, le français langue maternelle manifeste une variation diaphasique moins vaste qu'en France. Pour le français de France, on a déjà avancé l'hypothèse (voir chapitre 1) qu'après une domination diatopique ayant fait suite à la francisation complète du territoire, puis une saillance diastratique correspondant à l'industrialisation et l'urbanisation, il y aurait actuellement un primat diaphasique lié à l'accentuation de la division du travail (spécialisation des activités, spécification des discours, tertiarisation des professions). En effet, la variation diatopique va s'atténuant devant les facteurs d'uniformisation entre régions à l'œuvre depuis plus d'un siècle, comme la mobilité des locuteurs, l'influence des médias, ainsi que l'élévation générale du niveau de culture. Les variations diastratiques traditionnelles s'atténuent aussi, en particulier avec l'universalité de la scolarisation (quoi que la discrimination prenne d'autres formes, souvent plus pernicieuses, compte tenu de l'exclusion et de l'immigration).

Les frontières entre genres discursifs et entre styles ne sont pas fixées une bonne fois pour toutes, et elles apparaissent aujourd'hui en pleine mutation. Les façons de parler dans les échanges non institutionnalisés tendent à s'homogénéiser, la pression de la norme s'amoindrit, et les locuteurs recourent plus souvent à des styles ordinaires et familiers. Mais pour ce qui concerne la distance communicative, le XXe siècle a vu se développer deux facteurs qui déstabilisent les pratiques discursives. Le premier concerne de nouvelles modalités de l'organisation du travail (effet d'une tertiarisation accrue), avec l'apparition de formes tenant à la fois de l'oral et de l'écrit (comptes-rendus écrits de réunions, notes préparant un exposé oral, enregistrement au dictaphone de rapports destinés à être tapés, présentation orale de journaux télévisés lus sur un prompteur…). L'autre facteur concerne les technologies de transmission de la parole, puis les « nouvelles technologies ». Celles-ci ont des effets reconfigurants sur la frontière entre public et privé, et plusieurs d'entre elles (téléphone, magnétophone, internet, textos) ont un impact social sur les pratiques communicatives, de graphie comme d'oralité (voir (33), graphie de texto). C'est aussi le cas des téléphones mobiles qui renforcent le contrôle social informel, en particulier pour les jeunes (de la part des familles, mais aussi des jeunes entre eux, comme on l'entend dans une ouverture récurrente comme (34)) :

(33) koi 2 9 ? (quoi de neuf)
(34) t'es où là < tu fais quoi < t'es avec qui <

2.2.2. Études de cas : situations minoritaires, obsolescence ou expansion

L'absence de stabilité de l'évaluation se manifeste aussi quand le statut de la langue change. L'obsolescence s'accompagne du rétrécissement de la variation, d'une tendance au monostylisme quand diminuent le nombre et la variété des activités pouvant être menées dans la langue héréditaire. Si le processus va jusqu'à son terme, la langue finit par se réduire à des routines de l'intimité et de la proximité.

Les études sur le français sont peu nombreuses, bien que cette langue présente, à travers le monde, un nombre non négligeable de situations d'obsolescence. Tel est le cas en Ontario, où la population francophone atteint en moyenne à peine 4 %. R. Mougeon (1999), s'appuyant sur une étude antérieure qui compare des locuteurs de villes ontariennes comportant de 85 % à 18 % de francophones (majoritaires/minoritaires), étudie le comportement d'adolescents devant la variation, en distinguant entre bilingues franco-dominants, équilibrés, et anglo-dominants. En milieu fortement anglicisé, le français n'est pas d'usage vernaculaire, et le français transmis surtout par la salle de classe a pour contrepartie l'absence de variantes ordinaires (dans un autre article, Mougeon parle de « dévernacularisation »). Dans la faible amplitude entre style formel et informel, ce sont les formes standard qui sont disponibles en toutes circonstances. Il y a donc là spécificité d'atténuation de la variation dans l'obsolescence : non plus la seule conservation du vernaculaire des situations ordinaires, mais la généralisation du standard de l'école.

La situation est différente en d'autres points du Canada, comme au Nouveau-Brunswick, où les locuteurs du français sont au contraire en processus d'expansion de leurs usages, qui s'élargissent d'emplois limités au vernaculaire de la proximité à des énoncés de distance. Ainsi, pour Wiesmath (2006), il n'y a pas obsolescence, mais expansion, qui d'ailleurs passe par une voie étroite, entre adoption du standard international et revendication de particularités endogènes.

2.2.3. Outil d'analyse : entre réponse et initiative

Le diaphasique est-il toujours prévisible en contexte ? C'est ce qui est plus ou moins supposé par des modèles qui le regardent comme une réponse des locuteurs à la spécificité d'une situation, selon une tendance déterministe et unidirectionnelle qui risque d'occulter la part d'initiative dont peuvent jouir les interactants. La « langue comme reflet du social », il y a là une tentation récurrente en sociolinguistique.

Mais il apparaît, d'un point de vue micro-sociolinguistique, qu'à côté de comportements relativement prévisibles, qui peuvent bien être regardés comme des « réponses » à la situation, il y a la ressource de l'initiative, où le jeu de l'interaction reconfigure les relations entre interlocuteurs. Le rapport entre façon de parler et situation n'est alors pas automatique : les locuteurs peuvent réorienter un discours, par exemple vers le familier, rendant ainsi le contexte plus familier (à condition que l'interlocuteur accepte). Loin que le social, le contexte et l'identité soient des donnés stabilisés, le discours les crée, tout autant qu'il en est le produit. La diversité diaphasique chez le monolingue peut ainsi être comparée au répertoire d'un bilingue, qui, outre le passage d'une langue à l'autre, dispose de la ressource des gradations de parler bilingue, qui peuvent contribuer à réorienter une interaction.

Une telle analyse a été inspirée par le modèle de Blom & Gumperz 1972, à propos de l'alternance codique, qui montrait que l'alternance n'était pas toujours un simple reflet de la situation. Il existe une « alternance d'initiative », et on peut faire un parallèle entre alternance de code et de langue : ce sont les mêmes facteurs sociaux qui, dans des situations de bilinguisme, conduisent les locuteurs à alterner les langues, et les locuteurs de situations monolingues à alterner les styles. La constante instabilité des usages linguistiques (codes ou styles) peut ainsi apparaître comme une propriété universelle du comportement des usagers des langues.

Les modalités d'acquisition aussi bien que de perte du diaphasique viennent confirmer que, ce qui est crucial pour la souplesse d'un bon fonctionnement variationnel (et donc, de façon plus générale, d'une bonne maîtrise de l'usage de la langue), c'est le nombre, la fréquence et la diversité des interlocuteurs et des activités situationnelles.

3. Théories du diaphasique

Étant donné tout ce que nous venons de voir sur l'omniprésence du diaphasique, sa théorisation sera cruciale pour la sociolinguistique. Or, la plupart des théories sociolinguistiques ne lui accordent pas une place centrale.

3.1. Instabilité, accommodation, ajustement

Nous nous sommes plusieurs fois interrogés sur la représentation de la variabilité diaphasique à travers des variables localisées, qui pourraient donner l'idée qu'elles s'organisent en variétés.

Pour le linguiste, la variation se présente comme un continuum à double ressort : le fonctionnement des traits en jeu (un locuteur peut aller de 0 à 100 % de taux de *ne*), et leur combinatoire qui, loin d'être toujours en convergence, peut entrer en opposition. À côté de traits dont l'évaluation suit le nombre d'occurrences (ils sont nombreux à relever de cette catégorie, surtout dans le phonique), il en est qui sont sentis comme très classants, une seule occurrence suffisant à stigmatiser un discours : ainsi de *ils croivent*, *ils voyent*, *il a s'agi*, *des chevals* ; ou encore le mode en (35), ou la liaison de (36), probable hypercorrection par prégnance d'un (36') plus fréquent :

(35) ça m'étonnerait que les Français ils le font
(36) si vous laissez r un message / nous vous rappellerons dès notre retour
(36') veuillez laisser r un message

Ainsi, l'évaluation diaphasique ne fonctionnerait pas seulement à travers une sorte de décompte statistique. Les locuteurs jugent-ils des traits isolés, ou une globalité ? Quel est le ressort de la saillance ? Les locuteurs se soucient-ils de cohérence entre traits ? Qu'est-ce qui classe (ou déclasse) le plus ? Certes, une inversion complexe à côté d'une négation sans *ne* est peu probable (sauf figement, comme en (37), qui ne fait pas l'objet d'une évaluation). Cependant, à côté de cohabitation de traits en congruence, comme en (38) ou (39), où deux éléments au moins s'évaluent comme recherchés ou ordinaires, on rencontre aussi des combinaisons inattendues, voire contradictoires : (40), où se côtoient relative populaire, négation sans *ne* et liaison assez recherchée ; (41), où une forme verbale stigmatisée jouxte une négation avec *ne* ; (42), avec *ne* + neutralisation du genre dans l'anaphore ; (43), qui comporte à côté d'un *ne* un futur qui, après *si*, produit un effet non standard. On notera la fréquence à laquelle *ne* est impliqué, plus intéressant par sa présence que par l'absence, désormais tout à fait ordinaire :

(37) toujours‿est-il
(38) puissent les commémorations des deux guerres s'achever r aujourd'hui (discours de Malraux)
(39) dans‿une minute / je saurai qu'est-ce qu'il veut
(40) il faut laisser la place à ceux [kizi] sont [pazale]
(41) ils croivent que dans ma tête ça ne va pas
(42) mais celles qui n'ont pas le permis ils doivent se débrouiller toutes seules
(43) si les hommes politiques ne feront rien / y aura d'autres cas comme ça

La maîtrise (native ou non) d'une langue se manifeste dans la capacité de pondération souple entre traits standard et non standard, comme dans les exemples attestés de (44) à (48), dont l'apparent désordre constitue une objection à l'idée même de variété, qui se montre alors pour ce qu'elle est, une abstraction :

(44) il savait même pas **où qu'elle était la manette** pour ouvrir le capot / et le gars il te dit ouais ouais je vérifie l'huile tous les jours / le gars il savait même pas **où se trouvait la manette** pour ouvrir le capot
(45) **si j'aurais** la possibilité / j'irais m'entraîner tous les jours {… (12 sec)} **si je pouvais** quoi / j'irais m'entraîner quatre ou cinq fois par semaine
(46) on demande le chef de gare pour le **centre de surveillance** / je répète / le chef de gare pour le **[sɑ̃ndəsyrvejɑ̃s]**
(47) ouais les meufs des fois y en a qu'**ils** le prennent bien et **e(lles)** rigolent avec nous quoi / mais d'autres ou **elles** disent rien ou [**a**skas] (ex. (60) du chapitre 3)
(48) alors **qui est-ce** / **qui c'est** qui gagne <

L'hypothèse d'auto-correction ne tient pas : celle-ci interviendrait tantôt du non standard vers le standard ((44), (45)), tantôt à l'inverse ((46) et (48)) : pourquoi ? L'effet d'instabilité sous lequel sont fréquemment considérés de tels exemples est encore un effet représenté de la conception à travers des variétés. Mais si on laisse de côté les hypothèses de flottement linguistique, pour prendre en compte la compétence discursive et pragmatique en tant que capacité du locuteur à s'ajuster au contexte et aux types d'activité qu'il traverse, on privilégiera l'interaction et l'accommodation, sous un angle d'ajustement des locuteurs entre eux et au contexte, et les décalages apparaîtront plutôt comme des effets de la souplesse avec laquelle les interactants négocient leur relation, au fur et à mesure que se déroule leur échange.

3.2. La question du sens (sémantique et pragmatique)

La conception du diaphasique la plus répandue, héritée de la stylistique traditionnelle, est celle d'une possibilité de sélection parmi des possibles en compétition dans une palette à disposition du locuteur. Les énoncés sont alors vus comme la conception traditionnelle voyait les mots : des équivalents de différents niveaux. Le locuteur concevrait d'abord ce qu'il a à dire, avant de le mettre « en style » (habillage de la pensée). Ce qui suppose une neutralité de la forme à l'égard du sens, que l'on représentera par la formule (49) :

(49) x (standard) = y (familier) = z (populaire)

Différentes séquences constitueraient ainsi plus ou moins « différentes façons de dire la même chose », *modulo* une information d'ordre esthétique ou social, regardée comme supplémentaire, et non comme cruciale dans la construction du sens.

Le postulat de synonymie concerne toutes les variétés, ce qui rend son observation critique déterminante pour la compréhension de la variation. Peut-il y avoir de la synonymie entre énoncés, ou bien est-ce que, en disant autrement, on dit autre chose ? L'équivalence de sens, impliquant que les mêmes significations soient véhiculées par différentes variétés et/ou différentes formes, est évidente en phonologie segmentale, mais constitue une hypothèse peu convaincante aux niveaux grammaticaux et discursifs.

Une autre hypothèse associe un sens différent à toute différence de forme. En voici un exemple extrait d'une chronique de langue, où la différenciation apparaît d'autant plus suspecte qu'elle n'est aucunement généralisable :

(50) « Si ta maman entre dans la cuisine quand tu es assis devant la table et feuillettes un livre, elle te demandera, paisiblement, "Que fais-tu ?". En revanche, si juché sur un tabouret, tu es en train de farfouiller dans les pots de confiture au haut de l'armoire, elle t'apostrophera par un brutal "Qu'est-ce que tu fais ?" » (cité par Berrendonner 1988, p. 56).

On ne peut admettre d'emblée ni l'équivalence, ni le postulat « une forme/un sens », et voici un exemple où les deux hypothèses pourraient être défendues, départageables seulement par le contexte :

(51) je me demande bien quoi faire
(52) je me demande bien que faire

Du point de vue de l'action accomplie, le postulat d'équivalence néglige le contexte et la séquentialité, qui montrent souvent une différence. Ainsi, en (53) et (54), le premier énoncé n'obtenant pas de réponse, il est répété sous une forme différente, qui prend acte de la difficulté de communication. En (55), la différence d'interlocuteur visé paraît significative :

(53) t'es d'où < {silence} d'où / tu es <
(54) qu'est-ce tu fais < qu'est-ce tu fais < / tu fais quoi <
(55) {pendant une interview, on entend frapper à la porte ; la fille de l'interviewée A va ouvrir}
A {adressé à la fille} : qui c'est <
Fille : [inaudible]
A {d'une voix plus forte, en direction de l'inconnu} : qui est-ce <

Ces exemples montrent à quel point les deux interactants sont partie prenante dans la construction des discours et du sens qui y émerge. C'est en effet devant la réaction exprimée ou anticipée de l'interlocuteur, que le locuteur reformule (anticipation sur les inférences qu'il peut avoir tirées de ce qui vient d'être dit). Mais il paraît prématuré d'en tirer une formulation générale, et la seule chose à retenir est l'importance du contexte et de la co-construction du discours et du sens.

3.3. Quand l'interaction devient style

Il n'y a pas de locuteur à style unique, ce qui va à l'encontre de l'idée reçue selon laquelle les locuteurs du bas de l'échelle sociale sont exclus de la variation, qui ne ferait pas partie de leurs ressources. Toutefois, certains disposent d'une palette plus large que d'autres. Les hypothèses traditionnelles s'appuient sur le profil du locuteur et sa capacité d'auto-surveillance (voir des dénominations ordinaires de style *soigné* ou *surveillé*), que l'on opposera à des modèles ne tenant pas l'identité du locuteur comme constituée et stabilisée avant l'échange.

3.3.1. Outil d'analyse. Les dialectes en contact

Étudiant la constitution historique du dialecte de Paris, particulièrement au XIXe siècle où se fixe ce qui finira par être appelé français populaire, Lodge 2004 fait l'hypothèse qu'il n'est pas particulièrement le mode d'expression d'une classe sociale, mais un effet de la densité des interactions ordinaires. Les réductions sur le plan phonique et les simplifications sur le plan morpho-syntaxique procèdent avant tout des conditions d'emploi de la langue. La communication quotidienne dans une ville où se côtoient des locuteurs d'origines linguistiques très diversifiées impose l'émergence d'un véhiculaire, qui en l'absence de langue commune prend la forme d'un code de contact, avec le français pour base. Ces processus de simplification, il les appelle nivellement (effet horizontal d'échanges intensifs entre égaux sociaux d'origines régionales différentes), qu'il distingue de la standardisation (effet vertical d'imposition linguistique sous la pression du prestige ou des institutions).

Situer ainsi le ressort de la simplification non dans des propriétés supposées aux locuteurs (paresse, ignorance, limites intellectuelles, moindre effort), mais dans les conditions d'emploi et la fonctionnalité d'une variété, c'est reconnaître que les conditions d'usage d'une langue ont des effets sur sa forme (fonctionnalisme).

> **Remarque :** Ces processus ne sont évidemment pas des spécificités du français, ni des langues du passé. Ainsi, travaillant sur des situations africaines, Manessy (1992) fait le même constat : les véhiculaires se différencient des langues dont ils sont issus par des processus de simplification, qui sont l'effet d'ajustements stylistiques entre interactants de langues premières diverses.

3.3.2. Outil d'analyse. Le rôle de l'audience

À la radio d'Auckland (Nouvelle-Zélande), Bell (1984) a étudié les productions des présentateurs de journaux, qui passent sur plusieurs chaînes visant des publics différents (populaire ou couches moyennes). L'examen de ces journaux révèle des différences chez le même présentateur (surtout phoniques), qui semblent ne pouvoir être mises en rapport qu'avec la différence des publics visés. Bell en infère que les énoncés sont orientés vers l'auditoire (en l'occurrence, le présentateur met sa cible dans une audience idéale plus que dans l'audience effective), ce qui conduit Bell à proposer un « axiome du style » :

> « La variation sur la dimension du style dans le discours d'un locuteur unique dérive de la variation sur la dimension sociale et y fait écho » (p. 151).

Le style procéderait donc de l'évaluation sociale, les valeurs attribuées aux groupes sociaux étant transférées sur les situations. Ce caractère dérivé du diaphasique rend compte de l'extension inférieure de la variation diaphasique, centrée sur l'auditoire, par rapport à la variation diastratique, centrée sur les attributs sociaux des locuteurs. Il y aurait donc un impact sur la pratique du locuteur des caractéristiques de son public, avec des effets décroissants selon que le locuteur s'adresse à lui ou non, le ratifie ou non, le connaît ou non. Les aspects non personnels de la situation auraient des effets encore moindres, selon une influence décroissante, représentée en (56) :

(56) locuteur > destinataire > auditeur > tiers actif > tiers passif > sujet > situation

Remarque : Bell a su tirer un bon parti du modèle du sociologue Goffman sur l'interaction entre protagonistes de l'échange (1981). Il apparaît plus difficile d'isoler les facteurs non personnels. Seul le rôle du sujet traité est bien établi : ainsi, lors d'une même interview, on observe une différence de style entre les moments de propos ordinaires sur la famille, et ceux de propos plus élaborés, par exemple sur les croyances philosophiques ou religieuses.

3.3.3. Diaphasique et littératie

Plutôt que de s'appuyer sur le seul phonique, d'autres modèles partent des zones sensibles à l'interprétation que sont la syntaxe et le discours, où une partie des styles oraux s'avère influencée par le rapport à l'écrit. Les registres informels de la proximité manifestent plus de variabilité suprasegmentale, et s'ancrent dans la référence au contexte, orientant vers des significations implicites du point de vue de la forme (parataxe, concision, ellipse, économie – toutes formes accordant un rôle important à l'intonation), mais aussi du point de vue pragmatique (sous-entendus, inférences, appui sur les présupposés culturels partagés). Les registres formels de la distance, quant à eux, sont formellement plus explicites, plus élaborés et moins liés au contexte, au corps et au supra-segmental ; laissant plus de place à la planification discursive, ils s'appuient au contraire sur les ressources de la syntaxe segmentale. De tels modèles cherchent donc une motivation fonctionnelle dans les contraintes communicatives, puisque les locuteurs sont tous pluristyles, alors qu'ils ne maîtrisent qu'un seul dialecte social. Aussi serait-ce non le statut social du locuteur mais son accès à des ressources langagières diversifiées, et avant tout les registres de la littératie, qui serait à associer à l'amplitude diaphasique.

On peut alors faire l'hypothèse que le processus par lequel une forme de langue est historiquement devenue stigmatisée découle de son usage privilégié dans les situations de la proximité (plutôt orales, dans l'échange en face-à-face entre familiers, avec inférences conversationnelles). Ce serait alors les contextes fonctionnels qui donneraient lieu à l'évaluation sociale, et des formes deviendraient stigmatisées parce qu'elles sont évitées par les locuteurs « légitimes ». La différence de fréquence d'usage selon les groupes sociaux traduirait donc la différence dans les accès aux registres (en particulier aux registres écrits, planifiés et valorisés), la pratique des uns et des autres n'étant pas également distribuée à travers la population.

Conclusion

En se centrant non seulement sur le locuteur mais sur le sujet, le diaphasique ouvre, au-delà du social, sur des particularités individuelles des façons de parler, comme la fluidité de la parole, la qualité de la voix, l'intégration ou la complexité des productions discursives, qui ouvrent elles-mêmes sur des questions d'identité et de constitution du sens social des choix stylistiques. De plus, en focalisant sur les interactions, le diaphasique met la sociolinguistique en convergence avec des problématiques qui se font jour aujourd'hui dans d'autres sous-disciplines de la linguistique. Contrairement à ce qui se produisait dans le traditionnel cloisonnement disciplinaire, une cohérence de problématiques se dessine ainsi, entre sociolinguistique, analyse de discours, pragmatique, ou analyse de conversation, toutes disciplines qui offrent à la syntaxe et à la macro-syntaxe, à travers le recours à des exemples attestés, la ressource d'une sensibilité au contexte.

Pour aller plus loin

1. La plupart des introductions à la sociolinguistique pour des exposés sur le diaphasique, plus ou moins développés et plus ou moins démarqués d'une conception en prolongement du diastratique. Coveney 2002 pour une discussion sur le rôle diaphasique des interrogatives, Armstrong 2001 pour la négation et l'interrogation, tous deux dans le cadre d'une réflexion sur le rôle de la syntaxe et du sens. Pour une critique de la notion de niveau de langue, Gadet 2005. Kerbrat-Orecchioni 2001 pour les actes de langage et les inférences, dont la politesse, dans un cadre de pragmatique conversationnelle ; Brown & Levinson 1987 sur la politesse en général. Pour les traductions du non-standard, un numéro de la revue *Palimpsestes* (traduire Joyce ou Sillitoe en français, Céline en anglais…).

2. Pour la différence de fonctionnement diaphasique dans différentes situations francophones, F. Mougeon (France, Québec, Ontario) ; pour d'autres langues comparées au français, Berruto pour l'italien (domination diatopique), Sanders pour l'anglais britannique, où la dominante est diastratique. Acquisition chez Andersen 1990, qui travaille sur les premières manifestations chez l'enfant ; obsolescence chez Dressler 1988. Blanche-Benveniste 2000 pour les effets de langue de bois du style administratif, en particulier avec les nominalisations et les antithèses. Pierozak 2000 pour la variabilité des pratiques graphiques liées à internet.

3. Berrendonner 1982 et 1988 pour l'idée de jeu dans le système, et Sperber & Wilson pour une critique des hypothèses sur le sens voulu-transmis-reçu. Hypothèses explicatives du style, outre Goffman 1981 et Bell 1984, chez Cheshire 1997. Finegan & Biber 2001 pour le rapport entre l'écrit, la planification et la littératie, et Ochs 1979 sur l'importance de l'opposition planifié/non planifié. Pour une présentation synthétique des modèles du diaphasique, Gadet 2005. Eckert 2001 pour la constitution du sens social du stylistique.

ANDERSEN E. S., 1990, *Speaking with Style. The sociolinguistic Skills of Children,* London and New York, Routledge.

BELL A., 1984, « Language Style as Audience Design », *Language in Society* 13, 145-204.

BERRUTO G., 1995, *Fondamenti di sociolinguistica*, Bari, Laterza.

BLOM J-P. & J. GUMPERZ, 1972, « Social Meaning in linguistic structure : Code-Switching in Norway », *in* J. Gumperz & D. Hymes (eds.), *Directions in sociolinguistics,* New York, Holt, Rinehart and Winston, Inc, 407-34.

BROWN P. & S. LEVINSON, 1987, *Politeness. Some universals in language use,* Cambridge, Cambridge University Press.

BUSON L., à paraître, « La variation stylistique chez les enfants de 10/11 ans : une étude exploratoire en contexte français », *Actes du Colloque d'Oxford*, « Le français parlé au XXIe siècle : normes et variations », 23-24 juin 2005.

CHESHIRE J., 1997, « Involvement in "standard" and "nonstandard" English », *in* J. Cheshire & D. Stein (eds.), *Taming the Vernacular : from dialect to written standard language*, Harlow, Longman, 68-82.

DÉSIRAT C. & T. HORDÉ, 1976, *La langue française au XXe siècle,* Paris, Bordas.

DRESSLER W., 1988, « Language Death », *in* F. Newmeyer (ed.), *Language : The Socio-cultural Context. Linguistics : The Cambridge Survey IV,* Cambridge University Press, 184-92.

ECKERT P., 2001, « Style and Social Meaning », *in* P. Eckert & J. Rickford, *Style and Sociolinguistic Variation*, Cambridge University Press, 119-26.

FINEGAN E. & D. BIBER 2001, « Register Variation and Social Dialect Variation : The Register Axiom », *in* P. Eckert & J. Rickford, *Style and Sociolinguistic Variation*, Cambridge University Press, 235-67.

GADET F., 2005, « Sociolinguistic Research on Style », *in* U. Ammon, N. Dittmar, K. Mattheier & P. Trudgill (eds.), *Sociolinguistics. An International Handbook of the Science of Language and Society*, Berlin & New York, Walter de Gruyter, 1353-61.

KERBRAT-ORECCHIONI C., 2001, *Les actes de langage dans le discours,* Paris, Nathan-Université.

LABOV W., 1964, « Stages in the acquisition of standard English », *in* R. Shuy (ed.), *Social Dialects and Language Learning*, Illinois Champaign, National Council of Teachers of English, 77-103.

MANESSY G., 1992, « Modes de structuration des parlers urbains », in *Des langues et des villes*, Paris, Didier-Erudition, 7-27.

MOUGEON F., 1999, *La variation stylistique en français de France, du Québec et de l'Ontario*, thèse inédite, Université Paris-X.

MOUGEON R., 1999, « Recherches sur les dimensions sociales et situationnelles de la variation du français ontarien », *in* N. Labrie & G. Forlot (dir.), *L'enjeu de la langue en Ontario français*, Sudbury, Prise de parole.

Palimpsestes, 1996, *Niveaux de langue et registres de la traduction*, n° 10, revue de l'Université Paris-3.

OCHS, E., 1979, « Planned and Unplanned Discourse », *in* T. Givon (ed.), *Syntax and Semantics* Vol 12, New York, Academic Press, 51-80.

PIEROZAK I., 2000, « Les pratiques discursives des internautes », *Français moderne* Tome LXVIII n° 1, 109-29.

REGAN V., 1996, « Variation in French Interlanguage. A Longitudinal Study of Sociolinguistic Competence », *in* R. Bayley & D. Preston (eds.), *Second Language Acquisition and Linguistic Variation,* 177-201.

SANDERS C., 1994, « Register and genre in French and English : Notes towards Contrastive Research », *in* J. Coleman & R. Crawshaw (eds.), *Discourse Variety in Contemporary French*, London, AFLS/CILT, 87-105.

SEGUIN B. & F. TEILLARD, 1996, *Les Céfrans parlent aux Français*, Paris, Calmann-Lévy.

TYNE H., à paraître, « Style in L2 : The Icing on the Cake ? », *in* E. Labeau & F. Myles (eds.), *The Advanced Learner Variety : the Case of French*, Berne, Peter Lang.

VALDMAN A., 1998, « La notion de norme pédagogique dans l'enseignement du français langue étrangère », *in* M. Bilger, K. van den Eynde & F. Gadet (dir.), *Analyse linguistique et approches de l'oral,* Leuven-Paris, Peeters, 177-88.

VALDMAN A., 2000, « Comment gérer la variation dans l'enseignement du français langue étrangère aux États-Unis », *The French Review* Vol 73-4, 648-66.

CONCLUSION

La standardisation, déterminante dans la constitution du visage actuel du français, induit chez les locuteurs des représentations d'homogénéité et une idéologie d'idéal de monolinguisme, toutes deux arrimées à la survalorisation de l'écrit, avec pour effet la marginalisation des variétés vernaculaires. Si certains phénomènes laissent entrevoir que l'oralité commencerait à être regardée de façon moins négative, la révérence envers l'écrit et le poids maintenu de l'idéologie du standard demeurent bien ancrés pour tout ce qui est public ou officiel.

Le caractère de l'espace linguistique français qu'était la diversité diatopique s'atténue peu à peu, car ses particularités vont s'estompant sous les effets conjugués de la mobilité des locuteurs et de facteurs homogénéisants comme la prolongation de la scolarité et l'impact de modalités d'accès à l'information rivales de l'école, comme les médias et internet. La diversité des façons de parler apparaît donc désormais surtout liée aux caractéristiques sociales des locuteurs, de leurs activités et de leurs interactions, et aux nouvelles modalités de communication publique, en particulier dans les relations de travail et les institutions ; mais aussi dans ce nouveau facteur de diversification qu'est la présence sur le territoire de la France des langues de l'immigration, qui instaurent des effets de contacts de langues allant bien au-delà des locuteurs qui les pratiquent.

L'intrication entre facteurs favorisant l'unité ou la diversification rend difficile de prévoir l'évolution vraisemblable du français en France, même à court terme. La dynamique actuelle montre une modification progressive des pratiques discursives ordinaires, à défaut de bouleversement : restriction des variations diatopiques et diastratiques, maintien et peut-être extension de la variation diaphasique, fragilisation du carcan normatif devant l'expression d'identités locales, reconnaissance d'un statut à l'oralité, sensibilité à l'hybridation (des styles, des ordres oral/écrit, mais aussi des langues). Quant aux français parlés ailleurs qu'en France, ils subissent eux aussi des effets de la nouvelle donne mondiale de la globalisation, comme c'est le cas pour toutes les langues, et sont souvent en tension instable entre standardisation et revendication identitaire.

Dans cet ouvrage, nous nous sommes donnés pour objectif de susciter, à partir du français, des interrogations critiques sur la façon dont la sociolinguistique définit ses données, rend compte de ses objets, et les intègre dans des modèles explicatifs et théoriques. Cela implique un retour sur la caractérisation sociolinguistique du français, et une ouverture à l'élaboration de ce qu'on appellera LE sociolinguistique, comme champ défini autour de problèmes que le variationnisme a permis de soulever, sans toutefois offrir d'autres perspectives de traitement que la mise en relation du linguistique et du social, sous la forme de facteurs qui agissent comme des causes externes définies par l'expert. Dans les conceptions de la variation, qui ont l'intérêt d'avoir orienté les études vers l'hétérogène, il faut retenir ce qui laisse place aux principes écologiques et polycentriques en jeu dans le fonctionnement des locuteurs. Qu'est-ce qui produit, ou qu'est-ce qui permet la variation, au niveau des usagers des langues et non des seules propriétés des systèmes ? Pourquoi est-ce que, universellement à ce qu'il semble, les locuteurs modulent leurs formulations, plutôt que de se couler dans une uniformité dont le coût semblerait pourtant moindre, et l'effet plus facile à gérer pour communiquer avec autrui ? Nous espérons avoir montré qu'il était possible de concevoir cet ordre propre du sociolinguistique, à horizon interprétatif et dans la mesure du possible explicatif, qui suppose qu'on recueille, de l'étude des discours ordinaires, des observations que ni la sociologie ni la linguistique considérées de façon autonome ne peuvent prétendre établir.

Notre propos a circulé dans un faisceau de problématiques et de thèmes qui ne sont pas en eux-mêmes spécifiquement sociolinguistiques, mais qui suggèrent des orientations interprétatives du simple fait qu'ils prennent le locuteur comme principe d'analyse, comme le font les problématiques actuelles « basées sur l'usage » dans d'autres sous-disciplines des sciences du langage. Tel est le cas de l'opposition entre formalisme et fonctionnalisme, entre autorégulation de la langue et sensibilité aux influences historiques et sociales, entre influences locales et globales, entre la perspective émique de l'acteur social, et la perspective étique du chercheur. Peut-être y a-t-il là, sinon un nouveau champ qui se dessine, du moins une manière différente de configurer un ensemble de problématiques, manifestant davantage de sensibilité à ce qui se construit aujourd'hui dans les autres sciences humaines.

Les facteurs cruciaux pour la variabilité, l'instabilité, l'hétérogénéité et le changement, figures écologiques sous lesquelles se présentent toutes les langues, émergent dans l'ajustement dynamique entre locuteurs, dans l'espace de sous-structures locales nécessaires à la vie sociale, qui permet à la diversification linguistique de se manifester à partir de ressources extrêmement diversifiées, qui établissent une dimension de complexité qu'il est temps de reconnaître comme étant au cœur de l'étude des langues.

BLOMMAERT J., 2003, « A sociolinguistics of globalization », *Journal of Sociolinguistics* 7/4, 607-23.

CAMERON D., 1990, « Demythologizing sociolinguistics : why language does not reflect society », *in* J. Joseph & T. Taylor (eds.), *Ideologies of language*, London and New York, Routledge, 79-93.

Français moderne, 2000, « Quels français pour demain ? Regards sur la langue d'aujourd'hui », Tome LXVIII n° 1.

GADET F., 2000, « Vers une sociolinguistique des locuteurs », *Sociolinguistica* 14, 99-103.

Journal of Sociolinguistics, 2003, Numéro spécial « Sociolinguistics and Globalization », Vol. 7-4.

LODGE A., 1998a, « En quoi pourrait consister l'exception sociolinguistique française ? », *La Bretagne linguistique* 12, 59-74.

ROBILLARD D. de, 2001, « Peut-on construire des "faits linguistiques" comme "chaotiques" ? », *Marges Linguistiques* n° 1, revue en ligne (http://www.marges-linguistiques.com).

SANKOFF G., 1980, *The Social Life of Language,* Philadelphia, University of Pennsylvania Press.

TOMASELLO M., 2003, *Constructing a Language. A Usage-based Theory of Language Acquisition*, Harvard University Press.

SUGGESTIONS D'EXERCICES

Ces exercices proposent des prolongements à la réflexion offerte dans l'ouvrage.

1) Variabilité en général : méthodes d'enquête (chapitre 1)

Choisir une dizaine de référents connaissant plusieurs dénominations dans la zone francophone (ex. *tourner la salade*, *le polochon*, *la serpillère*, *le pull*...). Élaborer un protocole d'enquête avec un nombre déterminé d'informateurs. Prévoir plusieurs protocoles, et les expérimenter sur le terrain.

L'intérêt de cet exercice réside surtout dans la réflexion sur les modalités d'enquête : comment sélectionner les enquêtés ? au hasard, ou sur des critères ? lesquels ? comment aborder les informateurs ? en leur disant quoi ? comment obtenir que soit produit le terme recherché ? par question directe, en montrant l'objet, avec un dessin (pour les noms) ou un geste (pour les verbes) ? faut-il enregistrer, prendre des notes, cocher des cases d'un questionnaire préparé ? Avantages et inconvénients de chaque choix.

2) Reconnaissance des accents diatopiques (chapitre 1)

Enregistrer une variété d'accents francophones, de France et hors de France (en se posant la question de comment et où les recueillir). En effectuer un montage. Faire écouter la bande en demandant de reconnaître les accents, et d'énoncer sur quels critères repose le jugement. Tenter de caractériser plus précisément chacun de ces accents, toujours sur critères linguistiques précis, dont on établira une liste (traits phoniques, syntaxiques, lexicaux, discursifs, pragmatiques).

Faire isoler les traits caractéristiques spécifiques, par opposition à ceux qui ne sont qu'indicatifs (ex. l'assourdissement des consonnes sonores des

Alsaciens ou les affriquées des Québécois sont spécifiques, le *r* roulé apical n'est qu'indicatif).

Pour le français en France, on peut se servir des cassettes existantes, comme celle de Autesserre *et al.*, *Les accents des Français* (1983).

3) Variabilité en général : phonologie et syntaxe (chapitres 1, 3)

Sélectionner une forme phonologique ou syntaxique relativement fréquente (comme la liaison ou le *e* muet pour le phonique, l'interrogation ou les détachements pour la syntaxe), et noter au cours d'une même journée les différentes formes que l'on peut en entendre, tous locuteurs confondus. S'interroger sur la précision de la notation, et sur ses limites. Faire ensuite un classement, 1) sur la base d'un facteur linguistique (ex. liaisons obligatoires ou facultatives, fréquentes ou rares, contraintes ou non), 2) sur la base des caractéristiques des locuteurs (adulte/enfant, locuteur cultivé/peu cultivé…), 3) sur la base des situations (formelle/informelle, distance/proximité, publique/privée, orale/écrite, spontanée/préparée…). Est-il possible d'établir des régularités ?

Cet exercice a surtout pour objectif de familiariser l'oreille à être sélective, et à apprendre à écouter et à extraire les formes, l'écoute du sociolinguiste devant se distinguer de la communication ordinaire tournée vers le contenu.

4) Transmission familiale de la norme (chapitres 1, 4)

Observer les réactions d'adultes envers les productions linguistiques d'enfants, dans le cadre familial. Noter s'il y a des corrections linguistiques, de quelle nature elles sont, sur quoi elles portent, leur fréquence, leur présentation, le ton sur lequel elles sont faites… Est-ce qu'elles donnent lieu à des commentaires de la part des adultes, à des remarques de la part des enfants (de quel ordre ?).

4') Transmission scolaire de la norme (chapitres 1, 4)

Si vous pouvez approcher une situation scolaire (par exemple, en tant que surveillant, ou en faisant de l'observation de classe), pratiquez la même opération. Qu'y a-t-il de différent ? Identifiez d'autres contextes socio-institutionnels où ces questions sont sensibles. Quels enjeux peut-on dégager ?

5) Diastratique en général : l'échantillonnage (chapitres 1, 4, 5)

Comment s'y prendre pour constituer un échantillon de population afin d'observer un phénomène de votre choix : échantillon aléatoire, délimitation d'une zone, sélection de sujets sur des caractéristiques sociales ou démographiques déterminées ? Réfléchir aux inconvénients de chaque option, par rapport aux objectifs et par rapport au protocole d'enquête prévu (questionnaire, interview…).

6) Oral/écrit (chapitre 2)

Trouvez une occasion où sont mobilisées à la fois des ressources orales et écrites. d'un événement discursif (ex. compte-rendu d'une réunion, présentation orale d'un exposé préparé par écrit). Enregistrez l'oral et recueillez l'écrit. Établissez une liste de spécificités, sous différents angles : présence d'atténuateurs ou de petits mots, modalités d'énonciation et de transmission de l'information, déictiques et indices de contextualisation, modes de contact avec l'audience, longueur et complexité des phrases ou des énoncés, nominalisations… Si vous pouvez faire un enregistrement vidéo, rôle des mimiques, des gestes et des regards.

7) Transcription (de l'oral à l'écrit) (chapitre 2)

Enregistrer de l'oral en situation ordinaire, et transcrire orthographiquement. Noter les points sur lesquels on rencontre des difficultés de représentation graphique. Même exercice avec une transcription phonétique. Repérer dans la littérature différentes conventions de transcription et de mise en forme, et les expérimenter en réfléchissant aux qualités/inconvénients de chacune.

On peut se limiter à des extraits brefs, car une transcription soigneuse est très coûteuse en temps, et il ne faut pas craindre de repasser la bande plusieurs fois. Chaque fois que j'ai fait pratiquer cet exercice, j'ai constaté une tendance à la surévaluation (ex. restituer des liaisons ou des *ne,* ne pas tenir compte des élisions, des simplifications de groupes consonantiques ou des harmonies de voyelles), jamais l'inverse.

8) Transcription (rechercher l'oral sous l'écrit) (chapitre 2)

Prendre un texte (littéraire, historique, sociologique, ethnologique…) présentant par écrit des propos tenus oralement, et passer au crible les options de restitution et de transcription adoptées dès lors qu'elles accommodent les règles de l'orthographie. Classer 1) les trouvailles qui semblent heureuses, 2) les stéréotypes (comme *y* pour *i(l)*), 3) les incohérences et les contradictions, et 4) les impossibilités de correspondance à une prononciation effective.

9) Diastratique : les sociolectes (chapitres 3, 4, 5)

Demander dans un groupe que chacun effectue un enregistrement ; sélectionner une minute de chacun, en effaçant les traits de contenu trop révélateurs ; noter soigneusement les caractéristiques du locuteur enregistré. Faire un montage des différents enregistrements d'une minute, et le soumettre au groupe en demandant de formuler des hypothèses sur chaque locuteur, avec commentaire sur les traits qui permettent le diagnostic.

La difficulté de cet exercice est de trouver des locuteurs ayant une façon de parler qui puisse être regardée comme typique de leur identité sociale, si une telle typicalité existe. On peut d'ailleurs prolonger le travail en réfléchissant sur la typicalité et sur le stéréotype.

10) L'école et les fautes (chapitre 4)

En situation scolaire d'écrit (copies d'élèves ou d'étudiants), faire un relevé de « fautes » et classez-les en 1) interférences entre oral et écrit, 2) traits de langue parlée non standard, 3) hypercorrections, 4) indices de mauvaise maîtrise de la langue. Chercher pour chacun s'il y a des causes apparentes.

11) Diastratique : le sexe (chapitres 4, 5)

Enregistrer une situation publique dont sont partie prenante des hommes et des femmes (par exemple une réunion, de travail, de co-propriété, d'association…). Comparer les prises de paroles des individus des deux sexes, d'abord d'un point de vue quantitatif (nombre de tours de parole, leur longueur, nombre de mots), puis qualitatif (stratégies d'entrée dans la parole ; qui interrompt qui ? de quelle manière ? comment est-il fait référence aux prises de parole antérieures ? présence ou non de modalisateurs et d'atténuateurs, marques de politesse, stratégies de préservation de face…).

11') Diastratique : le sexe (chapitres 4, 5)

Le même exercice peut être reproduit dans différentes circonstances. Voici deux suggestions : 1) le déroulement d'une classe avec des garçons et des filles. L'enseignant se comporte-il de la même manière envers les petits garçons et les petites filles ? 2) des interviews effectuées par un même interviewer (soit homme, soit femme), auprès d'enquêtés hommes et femmes. Les stratégies d'entrée en matière sont-elles les mêmes ?

12) Diastratique : les locuteurs atypiques (chapitres 4, 5)

Observer des façons de parler qui semblent surprenantes (= ne se conformant pas au stéréotype attendu, comme un ouvrier parlant particulièrement bien, un professeur d'université ayant un accent populaire, un locuteur habitant depuis longtemps dans une région mais qui n'a pas l'accent local...). Noter les traits linguistiques qui entrent dans l'impression d'atypique, et chercher à les mettre en rapport avec des éléments biographiques connus du locuteur (ex. l'ouvrier est un syndicaliste habitué de la parole publique, le professeur est d'origine populaire, le locuteur vient d'ailleurs où il souhaite retourner...).

Cet exercice inverse le point de vue le plus fréquent, en cherchant des idiosyncrasies, et non des cas typiques.

(13) Diastratique : technolectes et sociolectes professionnels (chapitres 4, 5)

Observez un groupe de locuteurs issus du même milieu professionnel, et notez tous les usages qui semblent attester de leur connivence : termes techniques proprement dits, sigles, raccourcis, abréviations, troncations... En font-ils usage en toutes circonstances ? Sinon, quand ?

14) Diastratique : la langue des jeunes (chapitre 5)

Transcrire une prise de parole longue d'un jeune (par exemple un récit, provoqué ou non), et tenter d'isoler les traits qui relèvent 1) de l'oralité en général, 2) d'un parler relâché, 3) d'un parler « jeune ».

15) Diaphasique (chapitre 6)

Évaluation du répertoire des ressources linguistiques dont dispose un locuteur, à travers plusieurs étapes :

– établir une fiche d'évaluation de son répertoire personnel : en quelles circonstances et avec quel objectif s'adresse-t-on, à qui, de quelle façon ?

– sélectionner deux situations maximalement éloignées l'une de l'autre, du point de vue de la proximité et de la distance ;

– s'enregistrer (ou se faire enregistrer) dans chacune de ces situations ;

– transcrire (pour chaque style, une minute phonétique, trois minutes orthographique) ;

– description et analyse différentielle des traits saillants (phonologie, syntaxe, lexique, discours) ;

– terminer par un retour critique sur la fiche.

En général ce travail (assez long à réaliser) étonne celui qui le pratique, qui découvre qu'il parle moins bien qu'il ne pensait. Cet exercice s'avère plus difficile qu'avant à pratiquer avec de jeunes étudiants : amplitude limitée du côté de la distance (faute d'enjeux sociaux très formels), usages informels omni-présents.

16) Diaphasique : modes d'adresse (chapitre 6)

Choisissez un locuteur que vous pouvez suivre en différentes circonstances de vie quotidienne et/ou professionnelle, et notez les différents termes d'adresse qui lui sont destinés, ainsi que les caractéristiques linguistiques et pragmatiques qui les accompagnent. Quel énonciateur utilise chacun de ces termes, et en quelle occasion ? Comment se combinent-ils au tutoiement/vouvoiement ? Que pouvez-vous en conclure quant aux relations entre les locuteurs ? Y a-t-il réciprocité ? (sinon, quelle adresse répond à quelle adresse, et qu'est-ce que cela indique sur les relations des locuteurs ?).

Faites la même étude sur vous-même, d'abord par introspection (liste des façons dont on s'adresse à vous), puis par observation sur un laps de temps déterminé. Y a-t-il recoupement ? Qu'aviez-vous oublié, ou inventé ?

Quelles sont les limites inhérentes à ce type d'enquête ?

Chacun de ces exercices peut être critiqué et réélaboré, parce qu'il simplifie les situations ou ne tient pas assez compte de certains aspects sociaux. On peut chercher pour chacun quels sont les risques encourus, et comment il aurait été possible d'y remédier.

Exemples : l'exercice 9 concerne plus les stéréotypes que l'analyse sociologique proprement dite ; l'exercice 15 fait comme si c'était le même contenu qui se transmettait dans des situations de proximité et de distance, en mettant l'accent sur le linguistique au détriment de l'interaction…

GLOSSAIRE

Accent : terme de sens commun pour qualifier les différences, réelles ou imaginaires, de façons de parler une langue par différents locuteurs, natifs ou non.

Accommodation : théorie de psychologie sociale selon laquelle le locuteur module son usage de la langue selon l'interlocuteur, en convergeant ou en divergeant.

Ajustement : mise au point de la relation entre interlocuteurs à travers l'interaction.

Alternance codique : pratique de locuteurs en situation de bilinguisme ou de diglossie, qui consiste à alterner deux langues, parfois dans une même séquence.

Architecture variationnelle : construction de la variation à travers la relation entre les niveaux diachronique, diatopique, diastratique et diaphasique (Eugenio Coseriu).

Argot : lexique parasite non standard, accompagnant généralement un usage phonique et grammatical populaire.

Changement : propriété des langues liée au temps, qui ne demeurent jamais en état fixe, et subissent des modifications, plus ou moins importantes selon la période.

Codage : pratique argotique qui consiste à appliquer des manipulations formelles à des termes du lexique (ex. loucherbem ou verlan).

Code élaboré/restreint : terme de sociologie de l'éducation pour qualifier l'organisation langagière de la socialisation de l'enfant, centrée sur la personne pour le code élaboré, sur le statut pour le code restreint (Basil Bernstein).

Communauté : ensemble idéalisé de locuteurs qui partagent davantage des pratiques, des valeurs, des attitudes et des jugements sur la langue que nécessairement des façons de parler.

Contact : on parle de langues en contact quand, suite à un déplacement de population (immigration par exemple), deux ou plusieurs langues se trouvent régulièrement confrontées.

Contexte : caractérisation de l'ensemble des paramètres qui relient des phénomènes langagiers aux protagonistes de l'interaction, par la référence aux circonstances de l'énonciation.

Contextualisation : prise en considération de la langue tenant compte du contexte social immédiat d'utilisation (John Gumperz).

Corpus : ensemble de données recueilli en respestant des critères, à des fins d'analyse.

Créoles : variétés linguistiques apparues dans les conditions de l'esclavage, prenant appui sur la langue des maîtres, et devenues des langues autonomes.

Crise des langues : dispositif du discours ordinaire sur les langues de culture, qui déplore la façon actuelle dont elles sont parlées et surtout écrites.

Décontextualisation : voir contextualisation.

Dialecte : variété linguistique utilisée par des groupes plus restreints qu'une langue, et jouissant d'un moindre prestige.

Dialectologie : discipline des sciences du langage qui se donne pour tâche de décrire la diversité diatopique. L'une des origines de la sociolinguistique.

Diaphasie (diaphasique) : étude de la capacité des locuteurs à moduler leur façon de parler en fonction de différents interlocuteurs et activités.

Diastratie (diastratique) : étude de la diversité des façons de parler dans une communauté, rapportées à la diversité démographique ou sociale.

Diatopie (diatopique) : étude de la diversité des façons de parler dans une communauté, rapportées à la diversité des localisations spatiales.

Diglossie : caractéristique d'une communauté où deux langues ou variétés sont en usage, avec répartition fonctionnelle entre variété haute et variété basse (la diglossie n'implique pas que la majorité de la population soit bilingue).

Distance : voir proximité.

Distinction : en sociologie, attitude qui consiste à se tenir à distance du commun en recherchant des façons de parler prestigieuses (Pierre Bourdieu).

Domination : accès privilégié d'une partie des locuteurs au contrôle des ressources, entre autres langagières.

Écologie : prise en compte de la vie sociolinguistique d'une société, regardant celle-ci comme un système complexe comportant les facteurs dynamiques de son adaptation et de sa survie.

Écrit : manifestation de la langue qui recouvre aussi bien le médium graphique que certaines modalités communicatives.

Emblème : recours plus ou moins conscient à un trait linguistique vu comme typique d'une identité.

Émique/étique : Perspective d'analyse de la langue tenant compte du sentiment de l'acteur (émique), ou prenant le point de vue de l'expert pour critère (étique) (Kenneth Pike).

Empirique : fondé sur l'observation.

Enquête : procédure de recueil de données qui consiste à s'assurer de la représentativité chez un locuteur, un groupe ou une communauté.

Ethnographie : méthode de recueil de données qui repose sur l'immersion dans le milieu observé.

Face : en sociologie, aspect de la personnalité d'un locuteur à préserver dans la politesse, positive ou négative (Erving Goffman).

Façon de parler : toute forme spécifique d'un locuteur ou d'un groupe (Dell Hymes).

Faute : dans une perspective prescriptive, forme qui ne se conforme pas à la norme (y compris souvent des formes non standard ou non centrales, parfois même simplement parlées).

Genre : principe de catégorisation des énoncés oraux et écrits, qui fait l'hypothèse qu'ils s'organisent en quelques types correspondant à des objectifs sociaux déterminés.

Groupe de pairs : ensemble de personnes, en général jeunes, entretenant des relations ordinaires en réseau serré.

Hétérogène : dénomination caractérisant les façons de parler réelles des locuteurs d'une communauté, qui s'oppose à l'idéalisation qu'est l'homogénéité.

Hypercorrection : conséquence d'une attitude d'insécurité, qui se manifeste soit par la faute, soit par l'excès dans l'application d'une règle.

Identité : expression de la part d'un locuteur de choix culturels et/ou sociaux par la préférence accordée à certaines formes de langue.

Idéologie du standard : dispositif idéologique qui défend l'unicité et l'homogénéité d'une langue, en s'appuyant sur la belle langue, la littérature et l'écrit (James Milroy)

Idiolecte : idéalisation de la façon de parler spécifique d'un locuteur.

Idiome : terme désignant un système linguistique en évitant le choix entre langue et variété.

Imaginaire : terme qui désigne l'ensemble des attitudes et représentations associé à une langue, par un locuteur, un groupe ou une communauté (Anne-Marie Houdebine).

Indexicalité : terme qui désigne une classe d'expressions dont la signification se module en fonction du contexte.

Insécurité : attitude de locuteurs peu sûrs de leur façon de parler, pour des raisons diastratiques ou diatopiques, entraînant l'hypercorrection, l'auto-dévaluation, le silence.

Interaction : dynamique d'ajustement et de coordination entre les protagonistes de la communication, qui affecte la compréhension des échanges langagiers.

Inter-locuteurs (variation) : désigne l'ensemble des variations rapportables à la diversité entre les locuteurs, *i.e.* diachronique, diatopique et diastratique.

Intra-locuteur (variation) : désigne celles des variations qui sont rapportables à la pratique d'un seul locuteur, *i.e.* le diaphasique et l'opposition oral/écrit.

Langagier : qui relève du langage et de l'usage de la langue.

Langue : tout parler, à partir du moment où il est considéré sous l'angle de son organisation linguistique, sans jugement quant au statut social ou politique.

Langue maternelle : première langue parlée par un enfant, ou la mieux maîtrisée en cas d'apprentissage simultané de plusieurs langues.

Langue officielle : langue(s) reconnue(s) dans un pays pour les activités relevant de l'État, souvent garantie(s) par la constitution.

Langue seconde : langue qui n'est ni maternelle, ni étrangère, ayant un statut de langue étrangère privilégiée, comme le français dans plusieurs pays d'Afrique.

Littératie : culture d'une communauté ou d'un locuteur dont le répertoire comporte la ressource de l'accès à l'écrit (sous les formes du lire-écrire). Il est supposé que la langue parlée dans une société de littératie diffère de celle d'une société d'oralité.

Macro-sociolinguistique : étude des phénomènes linguistiques considérés à un certain niveau de généralité (politique linguistique).

Macro-syntaxe : partie de la syntaxe qui correspond aux fonctionnements de l'immédiat, particulièrement représentés à l'oral (Alain Berrendonner).

Marché linguistique : degré d'accès des locuteurs au standard ou à la forme légitime dans leurs activités (Pierre Bourdieu).

Matériau variationnel : terme caractérisant l'ensemble des points ou zones de variabilité d'une langue (Alain Berrendonner).

Micro-sociolinguistique : étude sociolinguistique au niveau des locuteurs et de leurs interactions.

Niveau de langue : terme de didactique des langues, qui définit les produits de la variation diaphasique.

Norme : effet de la standardisation qui incite à sacraliser la forme de langue préconisée comme la meilleure façon de parler et surtout d'écrire.

Observation participante : position d'observation dans laquelle l'observateur partage certaines activités des observés.

Obsolescence : processus qui, s'il n'est pas entravé, aboutit à la disparition d'une langue dans une communauté (on dit aussi perte ou attrition).

Oral : manifestation de la langue qui recouvre à la fois le médium parlé et une modalité de présentation de l'information dans la proximité communicative.

Oralité : régime de fonctionnement de la langue sous la forme orale.

Orthographisme : prononciation d'un mot influencée par l'écrit et la pratique de la lecture.

Patois : désignation péjorative d'une variété de langue d'usage local, sans prestige et en général sans écriture.

Politique linguistique : gestion par un État de certains aspects de la langue (choix d'écriture, emprunts, terminologie).

Prestige : orientation psychologique ou sociale valorisée, supposée en jeu pour conduire les locuteurs à préférer certaines façons de parler.

Proximité (*vs* distance) : modalité de communication privilégiant des interactions ordinaires entre pairs, en général par oral et en face-à-face, dans des circonstances informelles (Peter Koch/Wulf Œsterreicher).

Registre de langue : voir « niveau de langue ».

Relâchement : terme de sens commun, qui concerne la prononciation des variantes non standard.

Répertoire : ensemble des ressources dont dispose un locuteur, un groupe ou une communauté, comportant différents styles, différentes variétés, et/ou différentes langues (John Gumperz).

Réseaux sociaux : organisation des liens entre membres d'une communauté, qui peuvent être lâches/denses, uniplexes/multiplexes, avec des effets langagiers.

Saillance : processus complexe par lequel des éléments d'information mis en valeur par les locuteurs sont disponibles pour la variation.

Sécurité linguistique : voir insécurité.

Situation : désigne généralement, en s'opposant à « contexte », les circonstances de la communication qui ne sont pas modifiables par les protagonistes.

Sociolecte : terme permettant de dénommer des variétés considérées sous l'angle de la variation diastratique (social).

Solidarité : Dimension de proximité entre les locuteurs qui procure les conditions idéales pour l'émergence du vernaculaire (*vs* statut).

Sociolinguistique : discipline des sciences du langage qui étudie la langue du point de vue de sa mise en œuvre par les locuteurs en contexte social.

Standard : produit des interventions délibérées d'un État sur la langue, ou standardisation.

Standardisation : processus de fixation auquel est soumise dans certaines conditions historiques une variété jouissant de prestige, de l'écriture, utilisée dans les activités sociales valorisées (codification, élaboration, grammatisation).

Stigmatisation, stigmate, stigmatisé : terme sociologique concernant un phénomène qui donne lieu à une évaluation négative (Erving Goffman).

Style, stylistique : dans la sociolinguistique américaine, équivalent de diaphasique.

Surnorme : ensemble de phénomènes linguistiques relevant d'une norme, au-delà des exigences du système (Frédéric François).

Transcription : procédé de restitution par écrit d'énoncés oraux, faisant appel soit à l'orthographe, soit aux conventions phonétiques.

Variabilité : propriété de la langue sur laquelle s'appuie l'idée de traiter le langagier sous l'angle de variation.

Variation : élément de la variabilité des langues, mise à profit par les locuteurs dans l'expression d'une identité locale ou sociale, ou pour s'adapter à l'activité en cours.

Variété : représentation du groupement d'usages variables d'un groupe, reflétant plus ou moins les usages reconnus par les membres de la communauté.

Véhiculaire : langue ou variété permettant la communication entre locuteurs relevant de langue maternelle ou d'usages vernaculaires diversifiés.

Verlan : procédé argotique de l'ordre du codage en vigueur chez les jeunes de banlieue, qui consiste à inverser les syllabes (*à l'envers*).

Vernaculaire : langue ou variété utilisée par un locuteur dans les échanges ordinaires avec des familiers et des pairs.

Seuls figurent dans ce glossaire les termes dont il est fait usage, même allusif, dans l'ouvrage, sans recherche d'exhaustivité. Certains termes sociologiques sont définis, mais pour les termes linguistiques et grammaticaux, on renvoie aux ouvrages spécialisés. Quand un terme a paru peu intégré dans la pratique commune des sociolinguistes (ce qui ne saurait constituer une restriction sur son intérêt), nous en précisons la source identifiée, ce que nous n'avons pas fait pour ceux d'usage partagé.

Pour d'autres définitions, exemples et bibliographies, voir Moreau 1997, ouvrage maniable, en français, de sociolinguistique générale mais accordant une place privilégiée au français. Pour une perspective de sociolinguistique générale, voir Duranti 2002.

BIBLIOGRAPHIE GÉNÉRALE

ARMSTRONG Nigel, 2001, *Social and Stylistic Variation in Spoken French. A comparative Approach,* Amsterdam/Philadelphia, John Benjamins Publishing Company.

BEAUD Stéphane & Florence WEBER, 1998, *Guide de l'enquête de terrain*, Paris, La Découverte.

BERRENDONNER Alain, 1988, « Normes et variations », *in* G. Schoeni, J-P. Bronckart et Ph. Perrenoud (dir.), *La langue française est-elle gouvernable ?,* Neuchatel et Paris, Delachaux & Niestlé, 43-62.

BERRENDONNER Alain *et al.*, 1982, *Principes de grammaire polylectale,* Presses universitaires de Lyon.

BLANCHE-BENVENISTE Claire, 1997b, *Approches de la langue parlée en français*, Paris, Ophrys.

BLANCHE-BENVENISTE Claire, 2000, « Le français au XXIe siècle : quelques observations sur la grammaire », *Français moderne* Tome LXVIII n° 1, 3-15.

BLANCHE-BENVENISTE Claire & Colette JEANJEAN, 1986, *Le français parlé, transcription et édition*, Paris, Didier-Erudition.

BOURDIEU Pierre, 1982, *Ce que parler veut dire*, Paris, Fayard.

BOURDIEU Pierre, 2001, *Langage et pouvoir symbolique*, Paris, Fayard.

CHAUDENSON Robert, Raymond MOUGEON & Edouard BENIAK, 1993, *Vers une approche panlectale de la variation du français*, Paris, Didier-Erudition.

CHAURAND Jacques (dir.), 1999, *Nouvelle histoire de la langue française*, Paris, Le Seuil.

COVENEY Aidan, 2002, *Variability in Spoken French. A Sociolinguistic Study of Interrogation and Negation*, Exeter, Elm Bank Publications [2e édition avec postface].

DUFTER Andreas & Elisabeth STARK, 2003, « La variété des variétés : combien de dimensions pour la description ? », *Romanistisches Jahrbuch* Band 53, 81-108.

DURANTI Alessandro (ed.), 2002, *Key terms in Language and Culture*, Oxford, Blackwell.

ENCREVÉ Pierre, 1988, *La Liaison avec et sans enchaînement. Phonologie tridimensionnelle et usage du français*, Paris, Seuil.

FREI Henri, 1929, *La grammaire des fautes*, Genève, Republications Slatkine.

GADET Françoise, 1992, *Le français populaire*, Paris, PUF, Que sais-je ?.

GADET Françoise, 1997, *Le français ordinaire*, 2e éd. revue, Paris, Armand Colin.

GADET Françoise, 2004b, « La signification sociale de la variation », *Romanistisches Jahrbuch* Band 54, 98-114.

GOFFMAN Erving, 1981, *Forms of talk*, Philadelphia, University of Pennsylvania Press. Tr. fr. *Façons de parler*, Éditions de Minuit 1988.

GOUGENHEIM Georges, René MICHEA, Paul RIVENC & Aurélien SAUVAGEOT, 1964, *L'élaboration du français fondamental*, Paris, Didier.

GÜLICH Elisabeth & Lorenza MONDADA, 2001, « Konversationsanalyse », *Lexikon der Romanistischen Linguistik*, Tome 1-2, Tübingen, Max Niemeyer Verlag, 196-250.

KLINKENBERG Jean-Marie, 2001, *La langue et le citoyen*, Paris, PUF.

KOCH Peter & Wulf OESTERREICHER, 2001, « Langage oral et langage écrit », *Lexikon der Romanistischen Linguistik*, Tome 1-2, 584-627, Tübingen, Max Niemeyer Verlag.

KROCH Anthony, 1978, « Toward a Theory of Social Dialect Variation », *Language in Society* 7-1, 17-36.

LABOV William, 1972a, *Sociolinguistic Patterns*, tr. fr. *Sociolinguistique*, 1977, Paris, Éditions de Minuit.

LABOV William, 1972b, *Language in the Inner City*, tr. fr. *Le parler ordinaire,* 1978, Paris, Éditions de Minuit.

LEON Pierre, 1993, *Phonétisme et prononciation du français,* Paris, Nathan Université.

LEPOUTRE David, 1997, *Cœur de banlieue*, Paris, Odile Jacob.

LODGE Anthony, 1998b, *Le français. Histoire d'un dialecte devenu langue*, Paris, Fayard.

LODGE Anthony, 2004, *A sociolinguistic History of Parisian French*, Cambridge University Press.

MARTINET André, 1969, *Le français sans fard*, Paris, PUF.

MILROY Lesley & Matthew GORDON, 2003, *Sociolinguistics. Method and interpretation*, Oxford, Blackwell.

MOREAU Marie-Louise (dir.), 1997, *Sociolinguistique. Concepts de base*, Sprimont, Mardaga.

SANDERS Carol, 1993 (ed.), *French Today : Language in its Social Context*, Cambridge University Press.

SPERBER Dan & Deirdre WILSON, 1989, *La pertinence. Communication et cognition,* Paris, Éditions de Minuit.

WIESMATH Raphaele, 2006, *Le français acadien. Analyse syntaxique d'un corpus oral recueilli au Nouveau-Brunswick/Canada*, Paris, L'Harmattan.

WOOLARD Katherine, 1985, « Language variation and cultural hegemony : toward an integration of sociolinguistic and social theory », *American Ethnologist* Vol. 12 n° 4, 738-48.

INDEX

Imprimé en France par EMD S.A.S.
Dépôt légal : juillet 2008 – N° d'imprimeur : 19575